ハムスターと暮らそう！

たのしい飼い方遊び方

Enjoy Life with Hamster

Fujiwara Akira
藤原 明［監］
［フジワラ動物病院院長］

This book contains
a large of Hamsters
Golden
Campbell
Djungarian
Chinese
Roborovski

高橋書店

はじめに

こんにちは。ぼくたちハムスターはいまやペットとして大人気《だいにんき》です。みんなが、小《ちい》さくてかわいくて、しぐさもとてもチャーミングっていってくれるんだ。どうもありがとう。ぼくたちはからだは小《ちい》さいけど、快適《かいてき》な飼育環境《しいくかんきょう》で育《そだ》ててもらえれば、とっても元気《げんき》に暮《く》らせるんだ。飼《か》いはじめのうちは「このちっちゃい生《い》き物《もの》は、いったい何《なに》を考《かんが》えているんだろう？」と、とまどうかもしれない。でも、毎日《まいにち》ちゃんと見《み》てるうちに、表情《ひょうじょう》の変化《へんか》や体調《たいちょう》、動作《どうさ》の意味《いみ》もすぐにわかるようになるし、大《だい》の仲《なか》よしになれると思《おも》います。この本《ほん》できみとぼくたちとのコミュニケーションがグググッと深《ふか》まったら、うれしいな!!

I Love♡ HAMSTER!

チャイニーズ

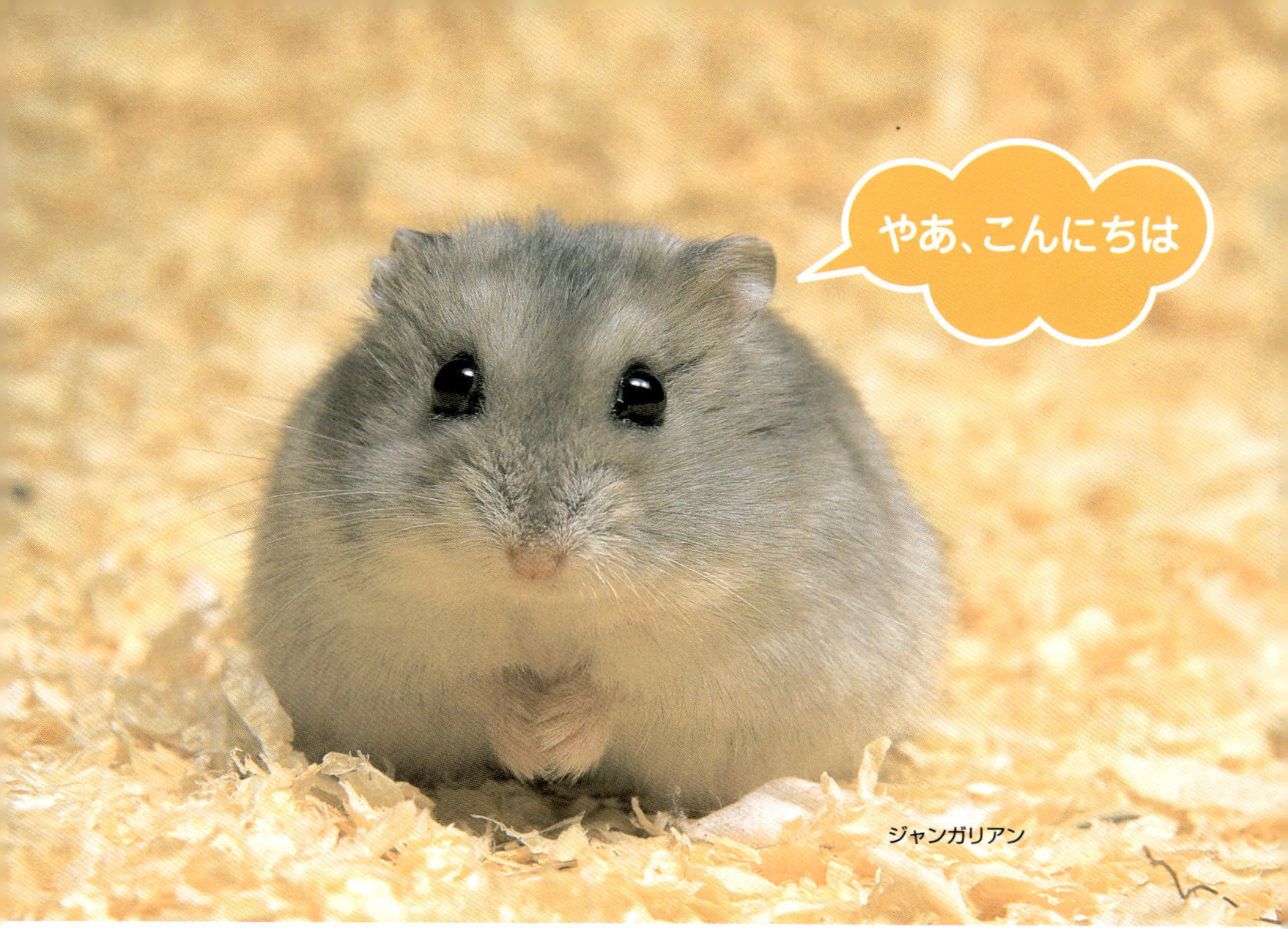
やあ、こんにちは
ジャンガリアン

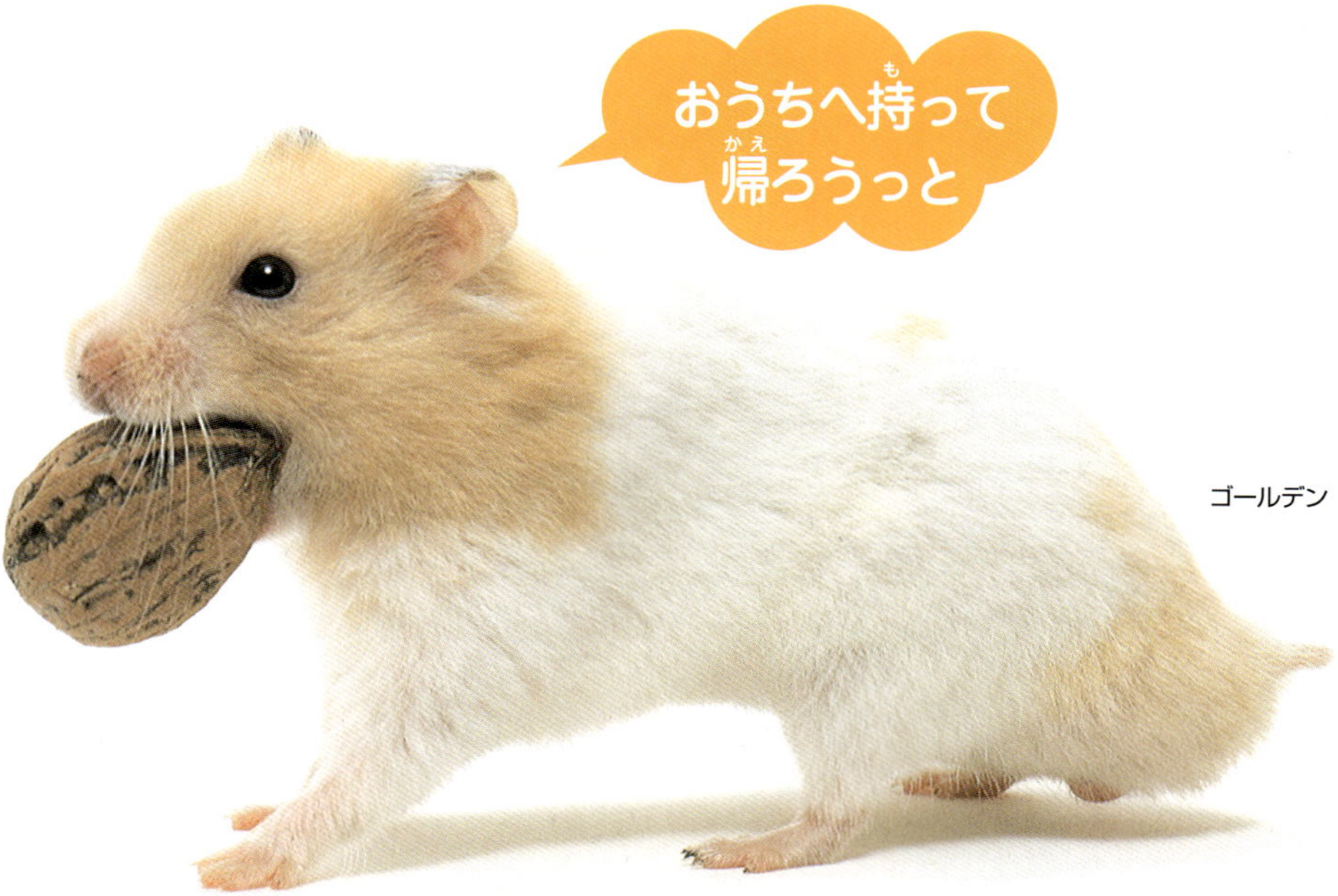
おうちへ持《も》って
帰《かえ》ろうっと
ゴールデン

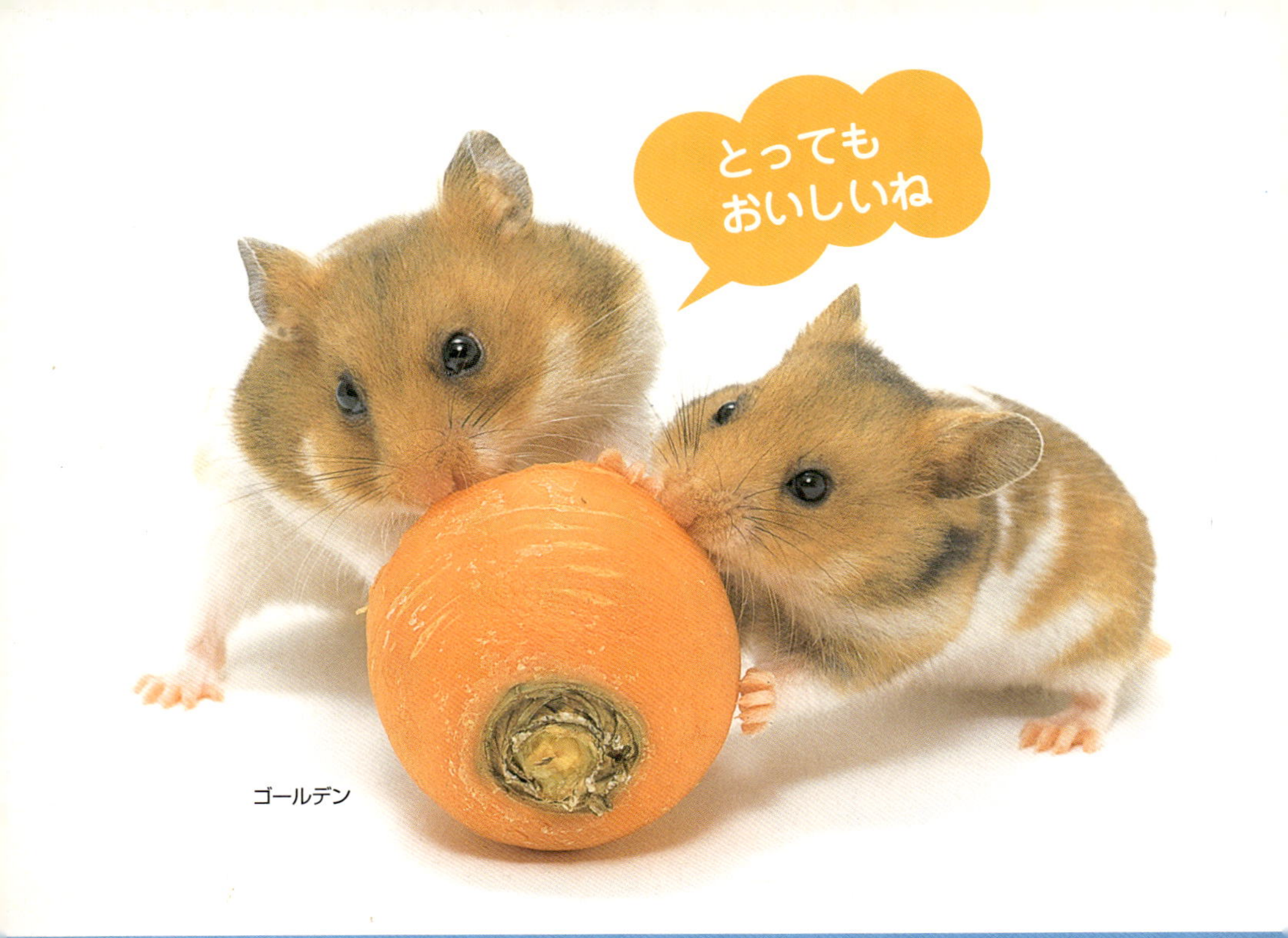
とってもおいしいね

ゴールデン

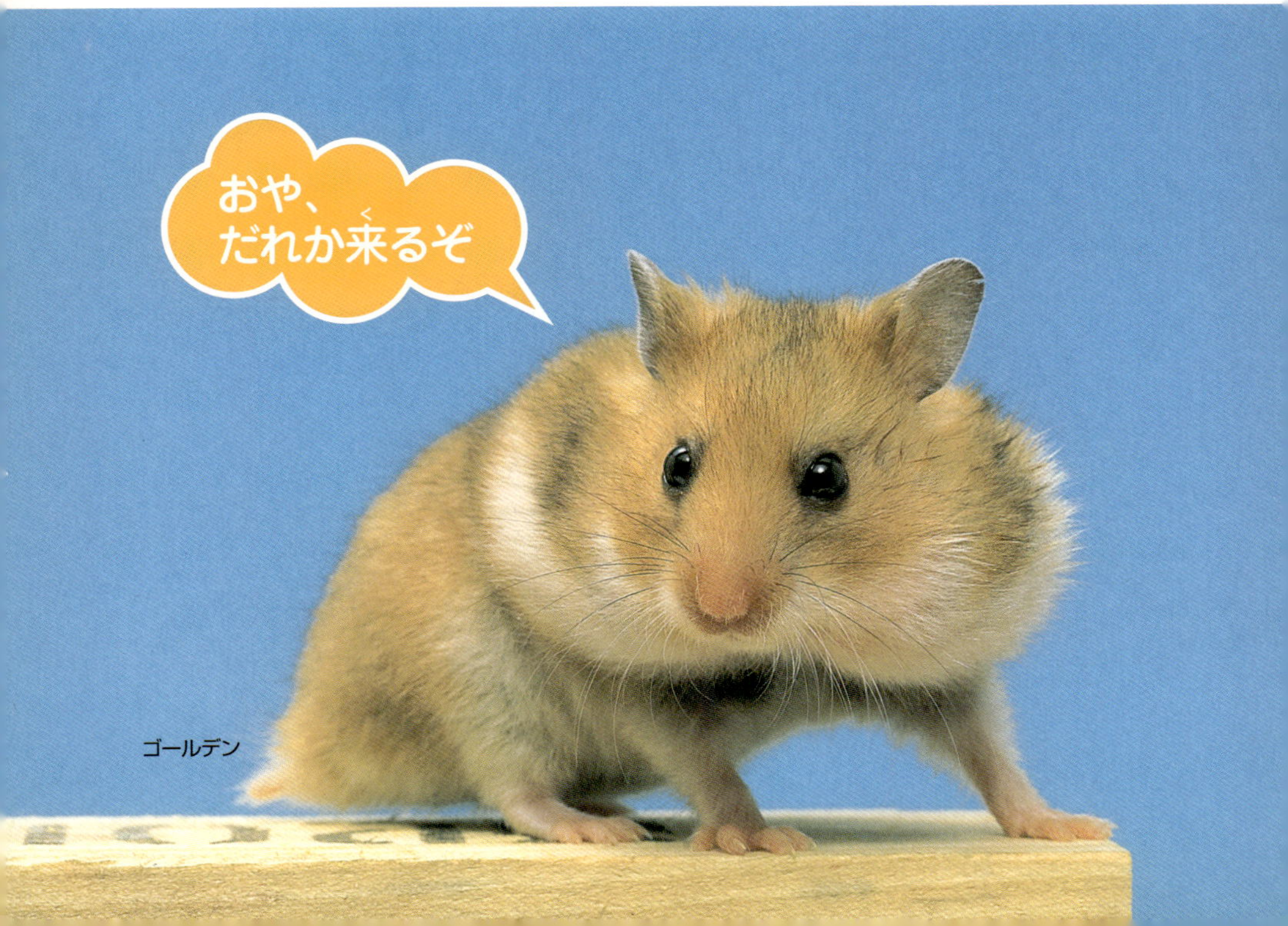
おや、だれか来《く》るぞ

ゴールデン

ゴールデン

ゴールデン

ゴールデン

ジャンガリアン

Contents

とことこ

PART 4 ハムスターのおうち ▼ 65

PART 5 ハムスターのお世話《せわ》 ▼ 81

はあー

ハムスター写真提供／立松光好・他
（ネイチャー・プロダクション）
飼育用品撮影／森カズシゲ
本文イラスト／大木桂
4コママンガ／池田須香子

PART 1

ハムハム写《しゃ》真《しん》館《かん》

HAMSTER

Golden Hamster

ゴールデンハムスター

ペットのハムスターのなかでは一番《いちばん》からだが大《おお》きく、おとなしい性《せい》格《かく》で人《ひと》になれやすい。短毛種《たんもうしゅ》と長毛種《ちょうもうしゅ》があり、色《いろ》の種類《しゅるい》も豊富《ほうふ》。なわばり意識《いしき》が強《つよ》いので1匹《ぴき》で飼《か》うのが基本《きほん》。

ノーマル

耳《みみ》

楕円形《だえんけい》でピンと立《た》っている。
高周波《こうしゅうは》も聞《き》きわける。

頭部《とうぶ》

オレンジがかったピンク色《いろ》でまるみがある。よく動《うご》く。

目《め》

つぶらな瞳《ひとみ》をしているが、じつは近眼《きんがん》。

毛質《けしつ》

短毛種《たんもうしゅ》も長毛種《ちょうもうしゅ》もつややかでやわらかい。

体形《たいけい》

ぽってりしている。
ドワーフ（小型《こがた》）より胴長《どうなが》。

足《あし》

前足《まえあし》の指《ゆび》の数《かず》は4本《ほん》、後《うし》ろ足《あし》の指《ゆび》の数《かず》は5本《ほん》。
ほかの種類《しゅるい》に比《くら》べるとがっしりしている。

種《しゅ》 類《るい》	ゴールデンハムスター
出身地《しゅっしんち》	シリア、レバノン、イスラエル
サイズ	体長《たいちょう》16～18.5cm／体重《たいじゅう》85～150g
成《せい》 長《ちょう》	成熟日数《せいじゅくにっすう》オス10～14週《しゅう》 メス 6 ～10週《しゅう》
寿《じゅ》 命《みょう》	2年半《ねんはん》～3年半《ねんはん》
性《せい》 格《かく》	おとなしく、人《ひと》によくなれ、表情《ひょうじょう》豊《ゆた》か
愛情度《あいじょうど》	★★★★★

※体長《たいちょう》＝鼻先《はなさき》からおしりまでの長《なが》さ（以下同《いかおな》じ）
★＝なつきやすさを示《しめ》しています（5つ星《ぼし》が最高《さいこう》）

ゴールデンハムスター

1939年頃《ねんごろ》にはじめてペットとして日本《にほん》に紹介《しょうかい》されたゴールデンハムスターは、ハムスターのなかでもっともポピュラーな種類《しゅるい》。性格《せいかく》はおとなしく、表情《ひょうじょう》やしぐさが豊《ゆた》かなので、初心者《しょしんしゃ》にはおすすめ。ただ、とてもなわばり意識《いしき》が強《つよ》いため、同居《どうきょ》は苦手《にがて》。けんかをして大《おお》けがをします。1匹《ぴき》を長《なが》くかわいがってあげましょう。

●ノーマル

白《しろ》と明《あか》るい茶色《ちゃいろ》の色柄《いろがら》をした、ゴールデンハムスターの代表格《だいひょうかく》。

●パンダ（長毛《ちょうもう》）

ホルスタインともよばれる。パンダのように白《しろ》と黒《くろ》がまじった色柄《いろがら》。

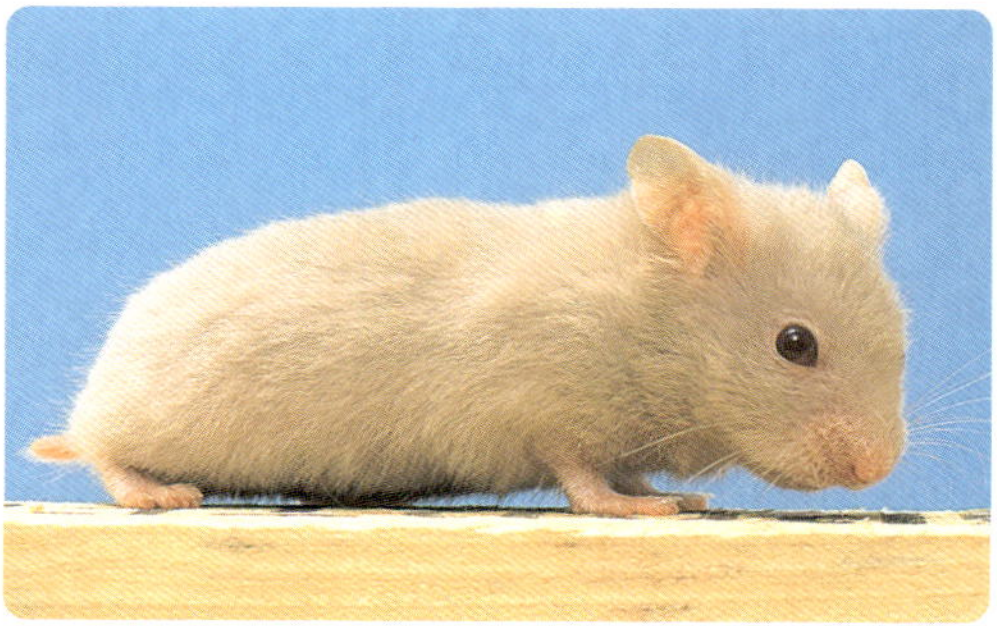

●ベージュ

薄茶色《うすちゃいろ》のやわらかい色合《いろあ》いをしている。

●白《しろ》

全身雪《ぜんしんゆき》のように真《ま》っ白《しろ》。手足《てあし》、鼻《はな》、耳《みみ》がピンクで女《おんな》の子《こ》っぽい。

●クロ

全身《ぜんしん》真《ま》っ黒《くろ》でミニチュアのクマを連想《れんそう》させる。とても珍《めずら》しい種類《しゅるい》。

●ブチ

まだらもようがかわいい。

●トリコロール（長毛《ちょうもう》）

黒《くろ》、肌色《はだいろ》、白《しろ》の3種類《しゅるい》の色《いろ》がミックスした毛色《けいろ》。

●シロ×グレー（長毛《ちょうもう》）

白《しろ》にうっすらとグレーが入《はい》っている。筆《ふで》でさっとなぞったみたい。

Djungarian Hamster

ジャンガリアンハムスター

ドワーフ（小型《こがた》）ハムスターのなかで、もっともおとなしくおっとりした性格《せいかく》。
人《ひと》になれやすく世話《せわ》がしやすいので、とても人気《にんき》がある。

ブルーサファイヤ

ハムハム写真館《しゃしんかん》

目《め》

涙形《なみだがた》のつぶらな瞳《ひとみ》。視力《しりょく》は悪《わる》い。

頭部《とうぶ》

細面《ほそおもて》な顔《かお》つきで、鼻《はな》はまるみを帯《お》びた三角《さんかく》。

耳《みみ》

うすくまるい形《かたち》をしている。

体形《たいけい》

手足《てあし》が短《みじか》く、マリのような形《かたち》。

毛質《けしつ》

短毛《たんもう》でビロードの手《て》ざわり。

足《あし》

足《あし》の裏《うら》に毛《け》が生《は》えている。

種類《しゅるい》	ジャンガリアンハムスター
出身地《しゅっしんち》	カザフスタン東部《とうぶ》からシベリア南西部《なんせいぶ》
サイズ	体長《たいちょう》7～12cm／体重《たいじゅう》30～45g
成長《せいちょう》	成熟日数《せいじゅくにっすう》オス10～14週《しゅう》 メス 6 ～10週《しゅう》
寿命《じゅみょう》	2年《ねん》～2年半《ねんはん》
性格《せいかく》	やさしくおっとりしている
愛情度《あいじょうど》	★★★

※体長《たいちょう》＝鼻先《はなさき》からおしりまでの長《なが》さ（以下同《いかおな》じ）

★＝なつきやすさを示《しめ》しています（5つ星《ぼし》が最高《さいこう》）

ジャンガリアンハムスター

ここ数年《すうねん》でドワーフ（小型《こがた》）ハムスターは爆発的人気者《ばくはつてきにんきもの》に。そのきっかけをつくったのがこのハムスター。ネズミ種《しゅ》らしくない色柄《いろがら》とスマートな顔《かお》つきに加《くわ》えて、穏《おだ》やかでおっとりした性格《せいかく》が愛《あい》されています。人《ひと》によくなれるので育《そだ》てがいがあります。

●ノーマル

グレーと茶色《ちゃいろ》の濃《こ》い種類《しゅるい》。背中《せなか》に黒《くろ》い線《せん》が入《はい》っている。

冬《ふゆ》になると、白《しろ》っぽい毛色《けいろ》にかわるハムスターもいる。

●ブルーサファイア

青《あお》みがかったグレーの毛並《けな》みをもつ。

●スノーホワイト　別名《べつめい》パールホワイト。背中《せなか》に黒《くろ》い線《せん》が入《はい》っている。

●プディング　プリンのような淡《あわ》いベージュ色《いろ》。

Campbell Hamster

キャンベルハムスター

外見《がいけん》はジャンガリアンとよく似《に》ていて、大《おお》きさもほぼ同《おな》じ。気《き》が強《つよ》く、ときにはかむこともある。上級者《じょうきゅうしゃ》向《む》けのハムスター。根気《こんき》と努力《どりょく》でなれさせよう。

ノーマル

ハムハム写真館《しゃしんかん》

●頭部《とうぶ》

面長《おもなが》で鼻先《はなさき》は三角《さんかく》。

●目《め》

涙形《なみだがた》でつややかな黒《くろ》。
赤目《あかめ》もいる。

●体形《たいけい》

ぷっくりとまるい。

●耳《みみ》

からだのわりに大《おお》きめ。細長《ぼそなが》くピンと立《た》っている。

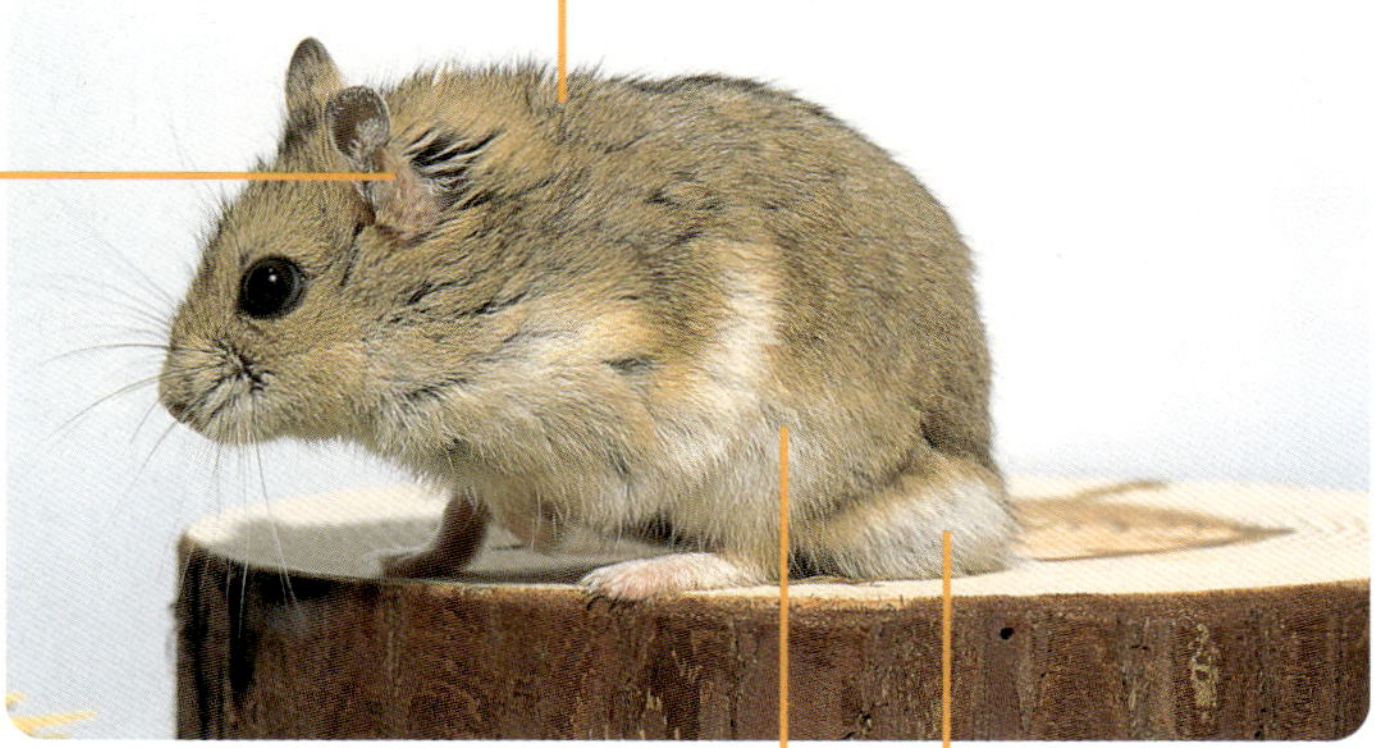

種《しゅ》　類《るい》	キャンベルハムスター
出身地《しゅっしんち》	モンゴル、中国北部《ちゅうごくほくぶ》
サイズ	体長《たいちょう》6～12cm／体重《たいじゅう》30～45g
成《せい》　長《ちょう》	成熟日数《せいじゅくにっすう》オス10～14週《しゅう》 メス 6 ～10週《しゅう》
寿《じゅ》　命《みょう》	2年《ねん》～3年《ねん》
性《せい》　格《かく》	気《き》が強《つよ》い
愛情度《あいじょうど》	★

※ 体長《たいちょう》＝鼻先《はなさき》からおしりまでの長《なが》さ（以《い》下《か》同《おな》じ）
★＝なつきやすさを示《しめ》しています（5つ星《ぼし》が最高《さいこう》）

●足《あし》

前足《まえあし》の指《ゆび》の数《かず》は4本《ほん》、後《うし》ろ足《あし》の指《ゆび》の数《かず》は5本《ほん》。うっすら毛《け》が生《は》えている。

●毛質《けしつ》

短毛《たんもう》でツヤツヤしている。

キャンベルハムスター

からだはジャンガリアンとほぼ同《おな》じ大《おお》きさで、少《すこ》しまるっこいところがかわいいハムスター。しかし、外見《がいけん》と違《ちが》って、コミュニケーションをとるのは難《むずか》しい種類《しゅるい》です。

●ノーマル　茶色《ちゃいろ》の毛並《けな》みで、背中《せなか》に黒《くろ》い線《せん》が入《はい》っている。

●イエロー　金色《きんいろ》を薄《うす》くしたようなきれいな黄色《きいろ》と赤《あか》い目《め》。背中《せなか》に茶色《ちゃいろ》の線《せん》が入《はい》っている。

●アルビノ　色素《しきそ》が少《すく》なく、全身真《ぜんしんま》っ白《しろ》。目《め》が赤《あか》いのが特徴《とくちょう》。赤《あか》ちゃんといっしょ。

●パイド　背中《せなか》の部分《ぶぶん》が黒《くろ》と白《しろ》のぶちになっている。赤《あか》ちゃんももうすぐ一人前《いちにんまえ》。

Chinese Hamster

チャイニーズハムスター

大《おお》きな目《め》とまるい耳《みみ》が愛《あい》らしい。性格《せいかく》は穏《おだ》やかだけど、すばしっこいから、注意《ちゅうい》が必要《ひつよう》。世話《せわ》がしやすく、人《ひと》によくなれるので、飼《か》いやすい。

ノーマル

●頭部《とうぶ》

顔《かお》が面長《おもなが》でやせている印象《いんしょう》。

●足《あし》

指《ゆび》が長《なが》くしっかりしている。

●耳《みみ》

うすくてまるい。

●目《め》

楕円形《だえんけい》でクリクリしている。

●毛質《けしつ》

短毛《たんもう》でサラサラしている。

●体形《たいけい》

よくのびる長《なが》いからだ。毛《け》の生《は》えた長《なが》めのしっぽをもつ。

種《しゅ》　類《るい》	チャイニーズハムスター
出身地《しゅっしんち》	中国《ちゅうごく》、モンゴル
サイズ	体長《たいちょう》9～12cm／体重《たいじゅう》30～40g
成《せい》　長《ちょう》	成熟日数《せいじゅくにっすう》オス10～14週《しゅう》 メス 6 ～10週《しゅう》
寿《じゅ》　命《みょう》	2年《ねん》～3年《ねん》
性《せい》　格《かく》	温和《おんわ》でおとなしい
愛情度《あいじょうど》	★★★

※体長《たいちょう》＝鼻先《はなさき》からおしりまでの長《なが》さ（以下同《いかおな》じ）

★＝なつきやすさを示《しめ》しています（5つ星《ぼし》が最高《さいこう》）

チャイニーズハムスター

ジャンガリアンやキャンベルよりも少《すこ》し大《おお》きめで胴《どう》は長《なが》めです。性格《せいかく》はとても温和《おんわ》で、ウンチやオシッコのにおいも少《すく》なく、飼《か》いやすいでしょう。背中《せなか》に1本黒《いっぽんくろ》い線《せん》が入《はい》っているのが特徴《とくちょう》です。

●ノーマル　おなかは背中《せなか》よりも明《あか》るい色《いろ》をしている。

●ノーマル

黒《くろ》と茶《ちゃ》がまじった色《いろ》で、背中《せなか》に黒《くろ》い線《せん》が入《はい》っている。

●シルバー

白《しろ》に淡《あわ》いグレーがまじって、美《うつく》しいシルバーに見《み》える。

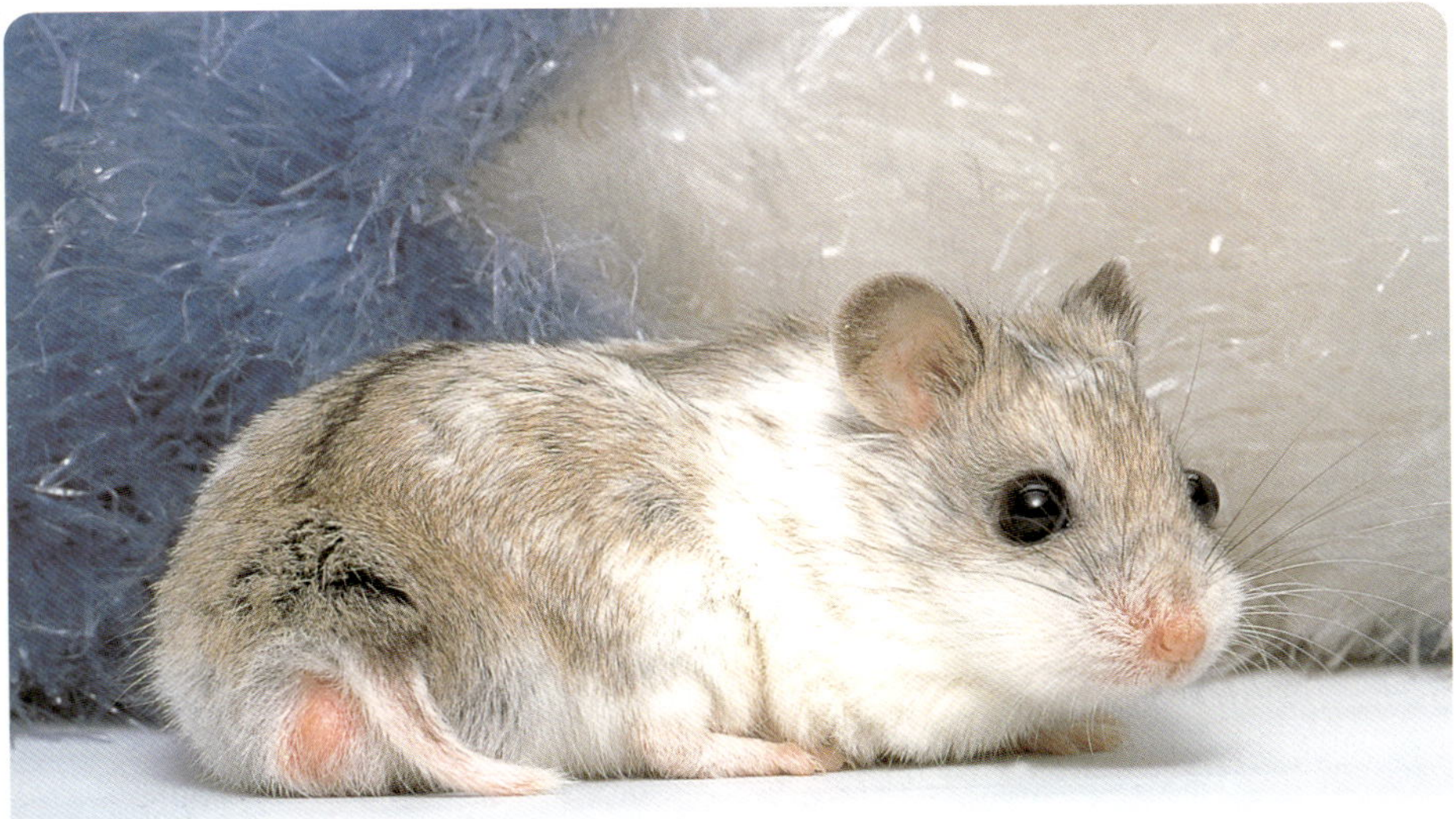

Roborovski Hamster

ロボロフスキーハムスター

ドワーフ（小《こ》型《がた》）のなかではもっとも小《ちい》さく、一番《いちばん》かわいらしいハムスター。かむことはほとんどないが、とても怖《こわ》がりですばしっこいので、人《ひと》になれさせるのは難《むずか》しい。

目《め》

ゴマ形《がた》で少《すこ》したれ目《め》。白《しろ》いまゆ毛《げ》のような部分《ぶぶん》がある。

耳《みみ》

細長《ほそなが》い三角《さんかく》でピンと立《た》っている。

頭部《とうぶ》

鼻先《はなさき》がまるっこく、こぢんまりしている。

体形《たいけい》

胴《どう》が短《みじか》くまんまるい。とても小《ちい》さい。

足《あし》

からだのわりに足《あし》が大《おお》きい。

毛質《けしつ》

短毛《たんもう》だが毛足《けあし》が長《なが》い。

種《しゅ》 類《るい》	ロボロフスキーハムスター
出身地《しゅっしんち》	ロシアのトウーワ地方
サイズ	体長《たいちょう》7～10cm／体重《たいじゅう》15～30g
成《せい》 長《ちょう》	成熟日数《せいじゅくにっすう》オス10～14週《しゅう》 メス 6 ～10週《しゅう》
寿《じゅ》 命《みょう》	2年《ねん》～3年《ねん》
性《せい》 格《かく》	とてもおくびょうでおとなしい
愛情度《あいじょうど》	★

※ 体《たい》 長《ちょう》＝鼻先《はなさき》からおしりまでの長《なが》さ（以下同《いかおな》じ）
★＝なつきやすさを示《しめ》しています（5つ星《ぼし》が最高《さいこう》）

これが野生《やせい》のハムスターの姿《すがた》だ！

★ハムスターの出身地《しゅっしんち》

ゴールデンハムスターの故郷《こきょう》はブルガリア、ルーマニアからカフカス、中央《ちゅうおう》アジアを通《とお》ってイランにいたる地域《ちいき》といわれています。ジャンガリアン、キャンベル、ロボロフスキー、チャイニーズのドワーフ類《るい》はアジア各地《かくち》に分布《ぶんぷ》しています。ハムスター全体《ぜんたい》で見《み》れば、アジア、ヨーロッパに集《しゅう》中《ちゅう》してすんでいるといっていいでしょう。

★すみかは乾燥地帯《かんそうちたい》

野生《やせい》のハムスターはいずれの種類《しゅるい》も、砂漠《さばく》や砂丘《さきゅう》に近《ちか》い乾燥地帯《かんそうちたい》にすんでいます。食《た》べものが豊富《ほうふ》にあるような地域《ちいき》ではなく、草《くさ》の葉《は》や実《み》、種《たね》、昆虫《こんちゅう》などがおもな食料《しょくりょう》となっています。木《き》などはあまり生《は》えていないので、高《たか》いところにのぼったりすることは少《すく》なく、もっぱら地面《じめん》の上《うえ》と地下《ちか》で生活《せいかつ》しています。

巣穴《すあな》をつくる

★なわばり意識《いしき》が強《つよ》い

ハムスターは地下《ちか》に巣穴《すあな》を掘《ほ》って家《いえ》をつくっています。巣穴《すあな》の深《ふか》さは2〜3mにもなるといわれています。とてもきれいずきで、食料貯蔵庫《しょくりょうちょぞうこ》、寝室《しんしつ》、トイレとそれぞれ部屋《へや》をわけて暮《く》らしています。

1日《にち》の気温《きおん》の変化《へんか》が大《おお》きい乾燥地帯《かんそうちたい》にすむハムスターですが、暑《あつ》さ寒《さむ》さにはあまり強《つよ》くなく、巣穴《すあな》は外気温《がいきおん》から身《み》をまもる役目《やくめ》もはたしています。

ドワーフ（小型《こがた》）ハムスターはオスとメスがいっしょに暮《く》らしますが、ゴールデンは繁殖期以外《はんしょくきいがい》は1匹《びき》で暮《く》らしています。ハムスターはなわばり意識《いしき》が強《つよ》い動物《どうぶつ》なのです。

活動《かつどう》のしかた

★ハムスターは夜行性《やこうせい》

昼間《ひるま》は巣穴《すあな》のなかで眠《ねむ》っています。日《ひ》が暮《く》れてから目覚《めざ》め、夜間《やかん》は食《た》べものをさがすために、地上《ちじょう》に出《で》ます。一晩《ひとばん》に20～30㎞も動《うご》き回《まわ》るといわれています。ハムスターはとても活発《かっぱつ》に動《うご》き回《まわ》る生《い》きものなのです。

★冬眠《とうみん》することも……

巣穴《すあな》のなかが5℃以下《いか》になると、ハムスターは冬眠《とうみん》します。呼吸数《こきゅうすう》や心拍数《しんぱくすう》が極端《きょくたん》に少《すく》なくなり、死《し》んだようになります。冬眠中《とうみんちゅう》でもときどき起《お》き出《だ》して、蓄《たくわ》えておいた食物《しょくもつ》を食《た》べるようです。

飼《か》っているハムスターも、寒《さむ》い場所《ばしょ》に置《お》いたり、1日中《にちじゅう》部屋《へや》を暗《くら》くしておくと、冬眠《とうみん》のような状態《じょうたい》になることがあります。体力《たいりょく》を消耗《しょうもう》させるので、このようなことのないように注意《ちゅうい》しましょう。

ハムスターの仲間《なかま》たち

ネズミ亜科《あか》

- スナネズミ
- ハツカネズミ
- ドブネズミ

ドブネズミ

ラット

キヌゲネズミ亜科《あか》

ゴールデンハムスター属《ぞく》

- ゴールデンハムスター

ヒメキヌゲネズミ属《ぞく》

- ジャンガリアンハムスター
- キャンベルハムスター
- ロボロフスキーハムスター

キヌゲネズミ属《ぞく》

- チャイニーズハムスター

クロハラハムスター属《ぞく》

クロハラハムスター

カンガルー ハムスター属《ぞく》

その他《た》13亜科《あか》

★人《ひと》に飼《か》われるようになるまでの歴史《れきし》

ハムスターがはじめて人間《にんげん》に発見《はっけん》されたのは1797年《ねん》。その後《ご》、1930年《ねん》にシリアから、パレスチナの動物学者《どうぶつがくしゃ》が12匹《ひき》の子《こ》どもと大人《おとな》のメスを連《つ》れ帰《かえ》ったのが、飼育《しいく》のはじまりとされています。ハムスターの生態《せいたい》が徐々《じょじょ》にわかってくると、1960年代《ねんだい》には日本《にほん》にペットとして輸入《ゆにゅう》されるようになりました。このようにハムスターとわたしたちとの歴史《れきし》はたった30〜40年《ねん》ほどです。犬《いぬ》や猫《ねこ》にくらべると人間社会《にんげんしゃかい》での環境《かんきょう》になれていない動物《どうぶつ》ですから、飼育《しいく》する環境《かんきょう》にはじゅうぶん気《き》を使《つか》ってあげたいものです。

げっ歯目《しもく》

ヤマアラシ科《か》

タテガミヤマアラシ

ビーバー科《か》

ビーバー

リス科《か》

エゾシマリス

エゾリス

ネズミ科《か》

その他《た》25科《か》

★ハムスターはネズミの仲間《なかま》？

ハムスターは大《おお》きくわけるとげっ歯目《しもく》の種類《しゅるい》に分類《ぶんるい》されます。げっ歯目《しもく》はヤマアラシ科《か》、ビーバー科《か》、リス科《か》、ネズミ科《か》ほか25科《か》にわけられます。げっ歯目《しもく》とは糸切《いとき》り歯《ば》とよばれる出《で》っ歯《ば》ぎみの前歯《まえば》をもった、愛《あい》らしい顔《かお》の動物《どうぶつ》たちのことです。地球《ちきゅう》にすんでいるほ乳類《にゅうるい》の約《やく》40%をも占《し》めるげっ歯目《しもく》は1738種類《しゅるい》、そのうちネズミ科《か》は1120種類《しゅるい》と、げっ歯目《しもく》のほとんどはネズミだといってもいいかもしれません。

ネズミ科《か》のキヌゲネズミ亜科《あか》に属《ぞく》しているハムスターはおよそ23種《しゅ》。見《み》た目《め》が似《に》ているので、人間《にんげん》でいえば、日本人《にほんじん》やアメリカ人《じん》くらいの違《ちが》いに思《おも》えます。しかし彼《かれ》らは複数《ふくすう》の属《ぞく》（グループ）にまたがる独立《どくりつ》した種《しゅ》であって、犬《いぬ》とオオカミ、ヒョウとライオンくらい違《ちが》います。決《けっ》して違《ちが》う種同士《しゅどうし》を交配《こうはい》しないようにしましょう。

ハムスターのからだ

体形《たいけい》

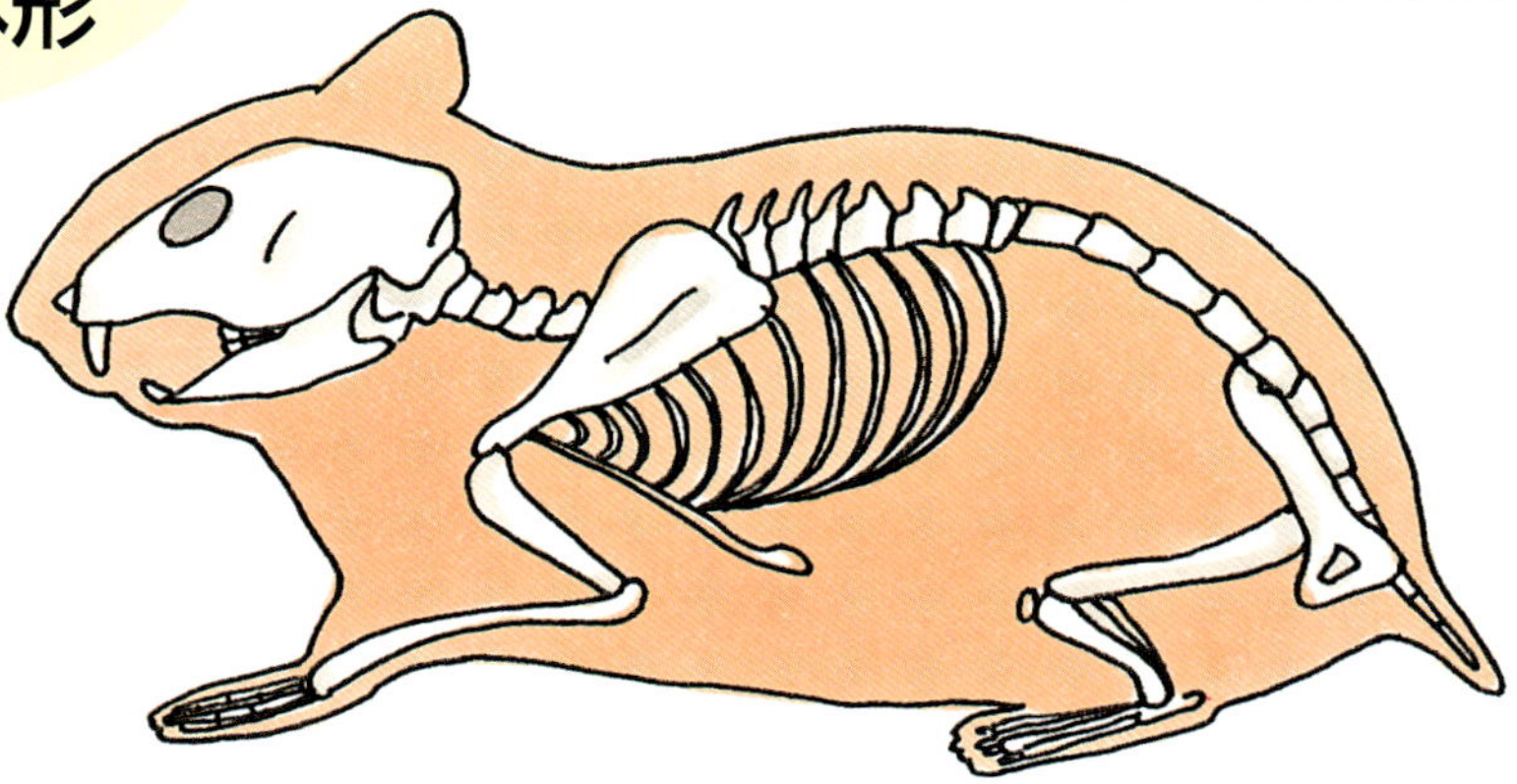

頭《あたま》が小《ち》さく、首《くび》のくびれがないため、全体《ぜんたい》にずんぐりむっくりしています。足《あし》が短《みじか》く見《み》えますが、それは太《ふと》ももにあたる部分《ぶぶん》を皮膚《ひふ》と毛《け》がおおっているためで、じつはけっこう足長《あしなが》なのです。足《あし》は外側《そとがわ》に開《ひら》きやすく、からだ全体《ぜんたい》が扁平《へんぺい》になるので、狭《せま》い場所《ばしょ》も簡単《かんたん》にすりぬけてしまいます。散歩《さんぽ》をさせるときは注意《ちゅうい》しましょう。

生殖器《せいしょくき》

オス

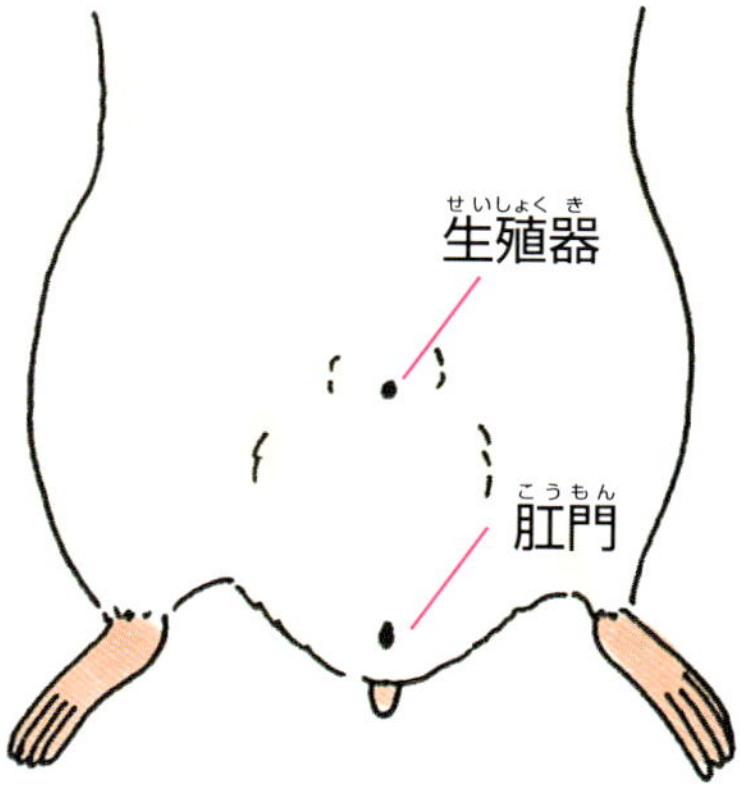

メス

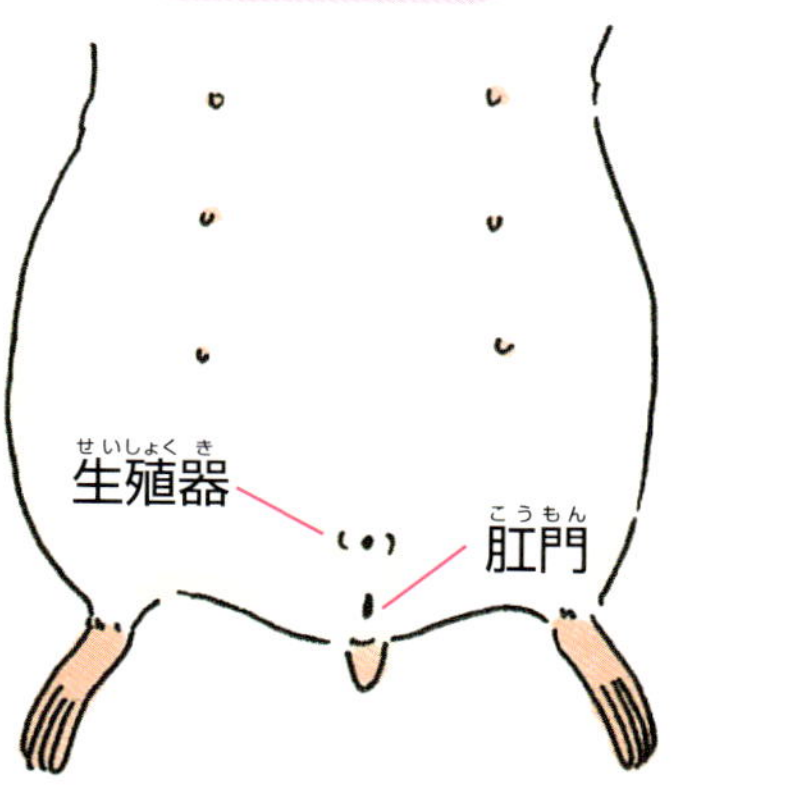

不必要《ふひつよう》な妊娠《にんしん》を防《ふせ》ぐために、生後《せいご》5週目《しゅうめ》まではオスとメスを分別《ぶんべつ》します。メスは生殖器《せいしょくき》と肛《こう》門《もん》との間《あいだ》が狭《せま》く、オスは間《あいだ》がはなれています。大人《おとな》になるとオスにはこう丸《がん》が目立《めだ》ってきます。また、メスは乳首《ちくび》がはっきりとしてきます。

目《め》

角膜《かくまく》が大《おお》きいので真《ま》っ黒《くろ》な瞳《ひとみ》をしていますが、視力《しりょく》はとても弱《よわ》い動物《どうぶつ》です。外《そと》に突出《とっしゅつ》しているせいで角膜《かくまく》の病気《びょうき》にかかることもよくあります。

ほおぶくろ

耳《みみ》の後《うし》ろの、ほおの内側《うちがわ》にあるふくろ。たくさんの食料《しょくりょう》や巣材《すざい》などを詰《つ》めて運《はこ》びます。大《おお》きさはゴールデンで約4cm×5cm、ジャンガリアンで約2cm×2.5cmほどです。

臭腺《しゅうせん》

液体《えきたい》を分泌《ぶんぴつ》する腺《せん》で、なわばりに自分《じぶん》のにおいをつける役目《やくめ》をはたします。ゴールデンは両《りょう》わき腹《ばら》に、ドワーフは腹部中央《ふくぶちゅうおう》についています。

歯《は》

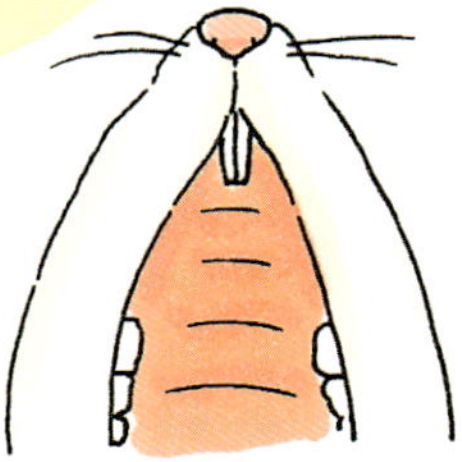

全部《ぜんぶ》で16本《ぽん》の歯《は》があり、上下《じょうげ》の門歯《もんし》は一生《いっしょう》のびつづけます。黄色《きいろ》から茶色《ちゃいろ》がかった色《いろ》が健康《けんこう》な歯《は》の状態《じょうたい》です。

内臓《ないぞう》

草食《そうしょく》をメインにした雑食性《ざっしょくせい》なので、いろいろな食物《しょくもつ》を消化吸収《しょうかきゅうしゅう》できるように小腸《しょうちょう》は体長《たいちょう》の2〜3倍《ばい》、小腸《しょうちょう》と大腸《だいちょう》の長《なが》さの比率《ひりつ》は1対《たい》0.7〜0.8になります。また、大《おお》きく太《ふと》い盲腸《もうちょう》を持《も》っています。少《すく》ない水分《すいぶん》で生《い》きていけるよう、水分《すいぶん》を循環《じゅんかん》させることができます。胃《い》は2つにわかれていて、前胃《ぜんい》は食道《しょくどう》の延長《えんちょう》で微生物《びせいぶつ》が消化《しょうか》を助《たす》け、後胃《こうい》（腺胃《せんい》）で消化吸収《しょうかきゅうしゅう》します。

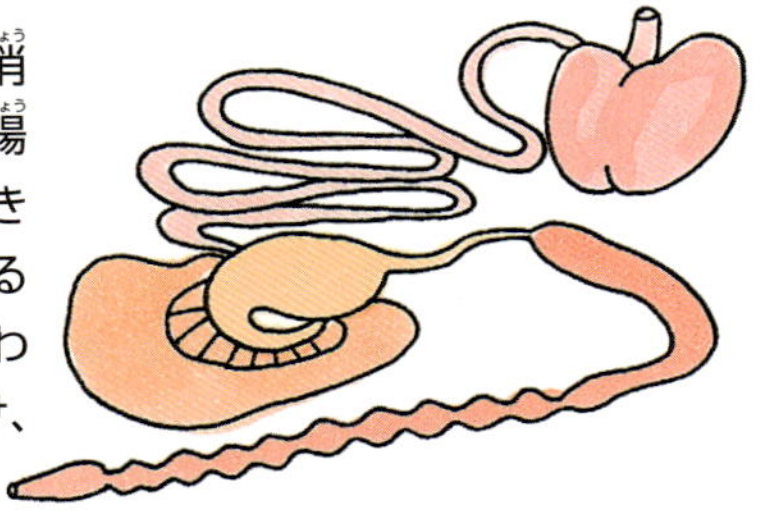

ハムスターのプロフィール

すきなところ

砂丘《さきゅう》や砂漠《さばく》にすんでたの。
だから、カラカラに
乾《かわ》いた土《つち》がすき！

すきな季節《きせつ》

夏《なつ》
梅雨《つゆ》のころの
じめじめは
とくに苦手《にがて》。
春《はる》・秋《あき》
いちばんすき！
冬《ふゆ》
あたたかくして
くれればOK。

すきな食《た》べもの

ナッツはだいすき……
だけど、脂《あぶら》が多《おお》いんだ。
だから、あまり食《た》べちゃ
いけないんだ。
がまん
がまん

生活《せいかつ》リズム

夕方《ゆうがた》〜夜《よる》
朝《あさ》〜昼《ひる》
食《た》べるぞ！
遊《あそ》ぶぞ！
おやすみ
なさ〜い！

PART2

ハムスターの買《か》い方《かた》&選《えら》び方《かた》

HAMSTER

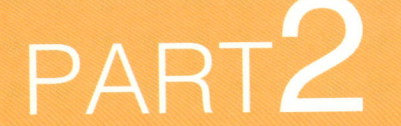

準備《じゅんび》はOK？

種類《しゅるい》は何《なに》にするか、何匹《なんびき》買《か》うかなど、買《か》う前《まえ》の心《こころ》づもりが大切《たいせつ》。衝動買《しょうどうが》いにはくれぐれも気《き》をつけて。

飼《か》う数《かず》は？

はじめてハムスターを飼《か》うのなら、1匹《ぴき》からはじめることをおすすめします。ゴールデン以外《いがい》のドワーフは子《こ》どものときからなら数匹《すうひき》で飼《か》うこともできますが、相性《あいしょう》が合《あ》わない場合《ばあい》はストレスがかかって病気《びょうき》になったり、ケンカをしてケガをすることもあります。1匹《ぴき》なら、きちんと世話《せわ》をしてあげれば幸《しあわ》せに暮《く》らせます。また種類《しゅるい》の違《ちが》うハムスターをいっしょのケージで飼《か》うことは、絶対《ぜったい》にしないようにしましょう。

オス？メス？

オスかメスかは、生殖器《せいしょくき》と肛門《こうもん》の位置《いち》で判断《はんだん》します。生殖器《せいしょくき》と肛門《こうもん》の間《あいだ》がはなれているのがオスで、間《あいだ》が狭《せま》いのがメスと覚《おぼ》えておきましょう。大人《おとな》になると、オスはこう丸《がん》が目立《めだ》ってくるのですぐわかります。

オスとメスをいっしょに飼《か》うとおどろくほど子《こ》どもが産《う》まれます。あらかじめ、もらい先《さき》を決《き》めてから、いっしょにするようにしましょう。またメスのほうが気《き》が強《つよ》いので、メス同士《どうし》の複数飼《ふくすうが》いはおすすめできません。

見《み》に行《い》く時間帯《じかんたい》は？

ハムスターは夜行性《やこうせい》の動物《どうぶつ》ですので、昼間《ひるま》はほとんど眠《ねむ》っています。昼間《ひるま》に買《か》いにいっても眠《ねむ》っているので、どの子《こ》が健康《けんこう》なのか、どの子《こ》が活発《かっぱつ》なのか、またおとなしいのかはわかりにくいものです。そこで、購入《こうにゅう》するときは、ハムスターの習性《しゅうせい》に合《あ》わせて、夕方《ゆうがた》の時間帯《じかんたい》を選《えら》びましょう。みんな起《お》きてきて思《おも》い思《おも》いに遊《あそ》んだり、 食事《しょくじ》をしている姿《すがた》を見《み》て、もっとも相性《あいしょう》のよさそうなハムスターを見《み》つけてください。

はじめて飼《か》うなら、ゴールデンやジャンガリアン、チャイニーズがおすすめ。でも、特徴《とくちょう》を理解《りかい》してから飼《か》うんなら、ほかのでもOKだよ。

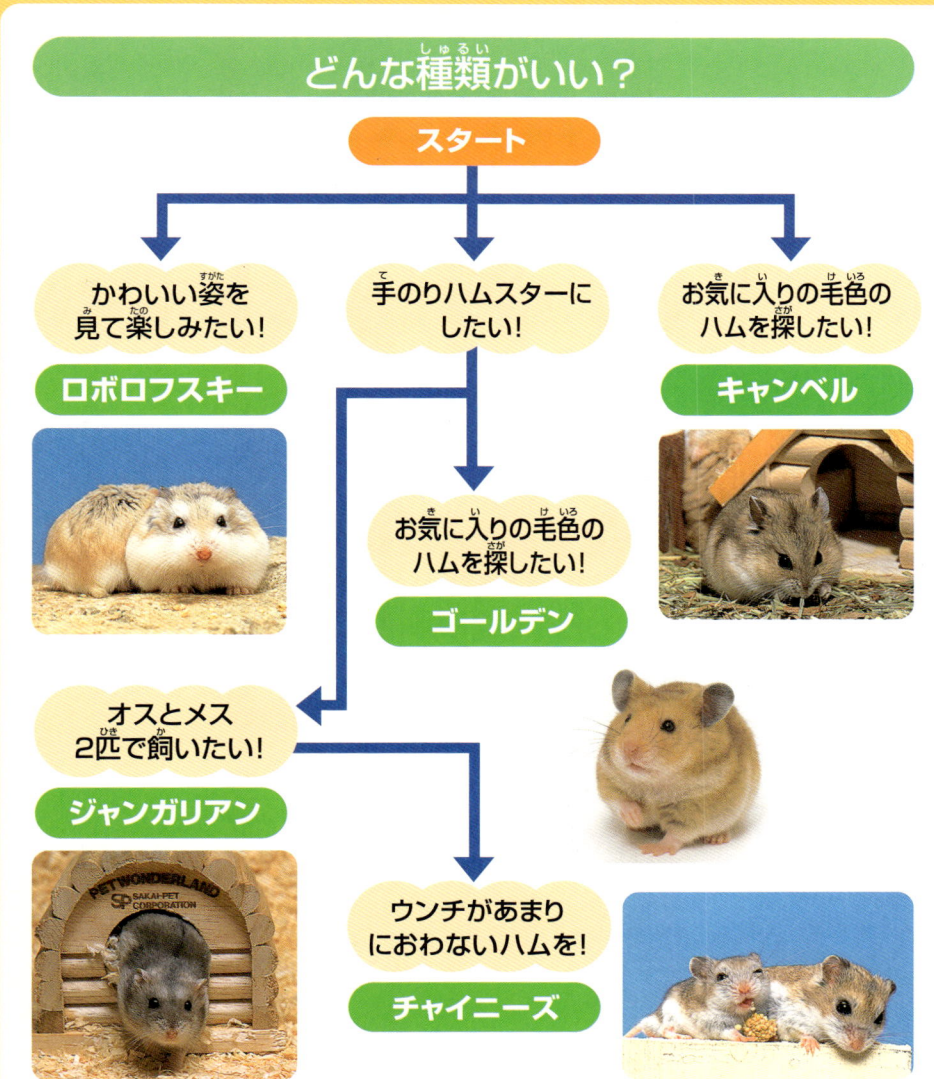

どんな種類《しゅるい》がいい？

スタート

かわいい姿《すがた》を見《み》て楽《たの》しみたい!

ロボロフスキー

手《て》のりハムスターにしたい!

お気《き》に入《い》りの毛色《けいろ》のハムを探《さが》したい!

ゴールデン

オスとメス2匹《ひき》で飼《か》いたい!

ジャンガリアン

ウンチがあまりにおわないハムを!

チャイニーズ

お気《き》に入《い》りの毛色《けいろ》のハムを探《さが》したい!

キャンベル

いいペットショップとは？

店《みせ》の大《おお》きさよりも清潔《せいけつ》さを重視《じゅうし》して、ハムスターの数《かず》にも注目《ちゅうもく》。できるだけ多《おお》いなかから選《えら》ぶのがよいでしょう。

●店《みせ》の大《おお》きさや場所《ばしょ》

基本的《きほんてき》にペットショップの規模《きぼ》では、いい店《みせ》かどうかは判断《はんだん》できません。ポイントは、①店内《てんない》がきれいに整《せい》とんされていて、見《み》やすい、②店員《てんいん》さんがきちんと動物《どうぶつ》たちの世話《せわ》をしている、③床《ゆか》や水槽《すいそう》、ケージなどがきれいにそうじされている、などです。デパートのペットショップや大型店《おおがたてん》もいいのですが、家《いえ》の近所《きんじょ》のペットショップも必見《ひっけん》です。周囲《しゅうい》の評判《ひょうばん》がよく、お客《きゃく》さんがきちんとついている店《みせ》ならば安心《あんしん》です。

●種類《しゅるい》、数《かず》

カラーバリエーションの豊富《ほうふ》なハムスターですから、種類《しゅるい》の少《すく》ない店《みせ》ではちょっとがっかりしてしまうかもしれません。種類《しゅるい》が多《おお》いということは、その店《みせ》がハムスターについてよく知《し》っていると判断《はんだん》できます。ハムスターを選《えら》ぶときは、できるだけたくさんの数《かず》のなかから見《み》つけるのがコツです。

店員《てんいん》さんにいろんな質問《しつもん》をしてみよう。本《ほん》で少《すこ》し勉強《べんきょう》してから出《で》かければ、どんなことを聞《き》けばいいのか、わかると思《おも》うよ。

●店員《てんいん》さん

この本《ほん》を読《よ》み、たくさんの正《ただ》しい知識《ちしき》をすでに身《み》につけているあなたの質問《しつもん》にきちんと答《こた》えてくれる人《ひと》であれば、信頼《しんらい》できる店員《てんいん》さんと思《おも》っていいでしょう。そのうえに、いきいきと動物《どうぶつ》たちの世話《せわ》をし、清潔《せいけつ》な身《み》なりをしているなら、合格《ごうかく》です。

●飼育管理《しいくかんり》

絶対《ぜったい》に清潔《せいけつ》でなければなりません。店内《てんない》の犬《いぬ》・猫《ねこ》のケージも見《み》て、排泄物《はいせつぶつ》が片《かた》づけられているか、敷《し》いてあるものはきれいかなどをチェックしてください。

ハムスターは水槽《すいそう》で飼育《しいく》されていることが基本《きほん》です。また、水《みず》が床《ゆか》に置《お》いてあるのではなく、給水《きゅうすい》ボトルを使用《しよう》しているほうがよいでしょう。

●飼育用品《しいくようひん》

価格《かかく》や数《かず》やデザインに気《き》をとられて質《しつ》の悪《わる》いものを購入《こうにゅう》しないようにしましょう。なかにはハムスターのからだに多少《たしょう》の害《がい》をおよぼすものもあります。かたまらないトイレの砂《すな》や、自然素材《しぜんそざい》の床材《ゆかざい》を扱《あつか》っている店《みせ》を選《えら》びましょう。

健康《けんこう》なハムスターは？

これからずっといっしょに暮《く》らすハムスターだから、できるだけ長生《ながい》きしてほしいもの。からだのすみずみまでチェックして健康《けんこう》な子《こ》を選《えら》びましょう。

毛並《けな》み

つやのあるやわらかい毛並《けな》みをしているか？　ハゲや傷《きず》はないか？

耳《みみ》

耳《みみ》がしわしわになって折《お》れていないか？　ピンと立《た》っているか？

目《め》

目《め》やにや涙《なみだ》が出《で》ていないか？　つやのある黒目《くろめ》をしているか？

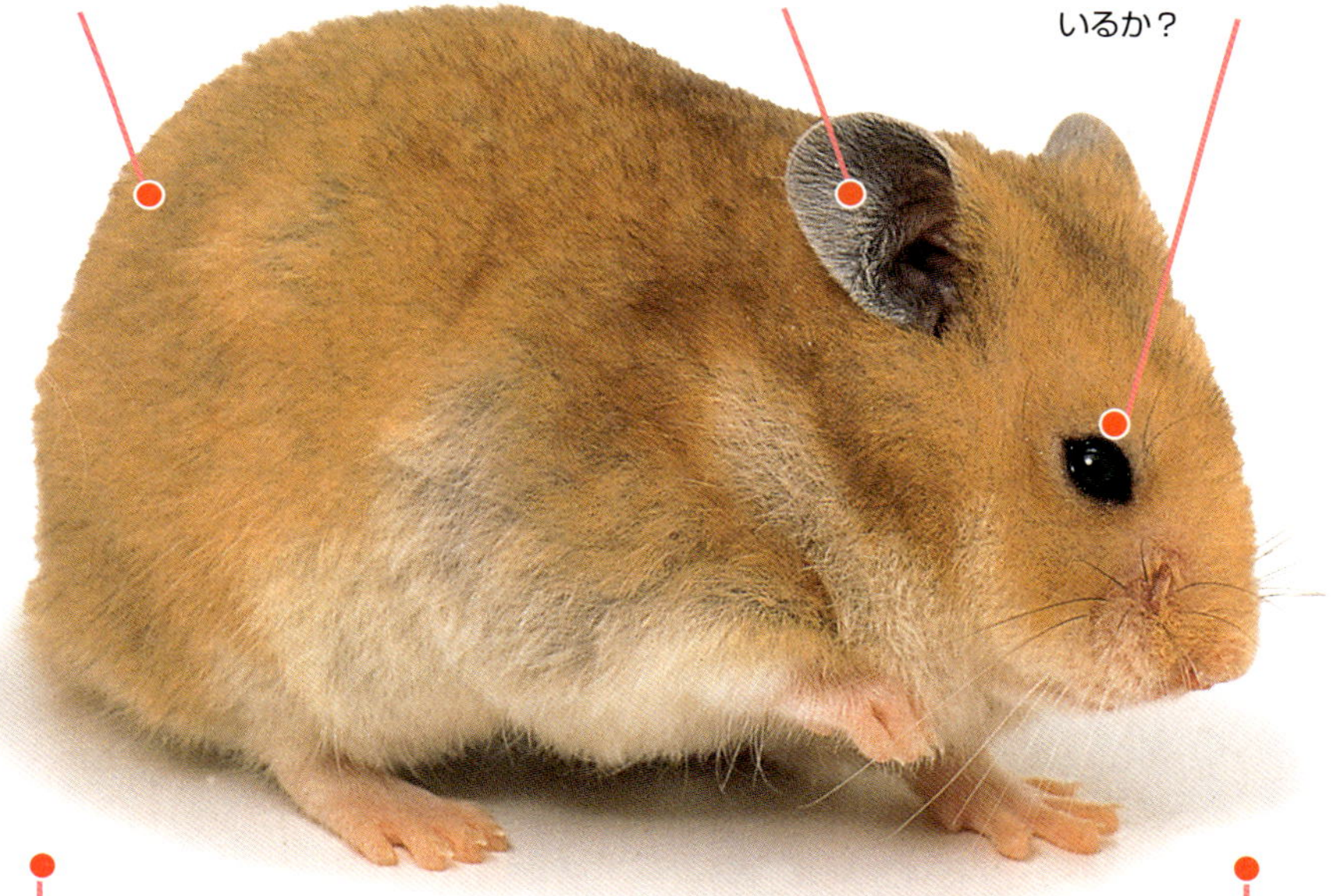

全体《ぜんたい》

集団生活《しゅうだんせいかつ》のなかでいじめられずに、きちんと食事《しょくじ》をとっているかがポイントです。からだにハゲや傷《きず》がある場合《ばあい》は、弱《よわ》っているため攻撃《こうげき》されていたり、皮膚病《ひふびょう》の疑《うたが》いがあります。やせている場合《ばあい》も、病気《びょうき》やじゅうぶんに栄養《えいよう》がとれていないことが考《かんが》えられます。

ぼくたちハムスターは飼《か》い主《ぬし》を選《えら》べないんだけど、きみの手《て》に近《ちか》よってくる子《こ》がいたら、その子《こ》に決《き》めるっていうのはどうかな？

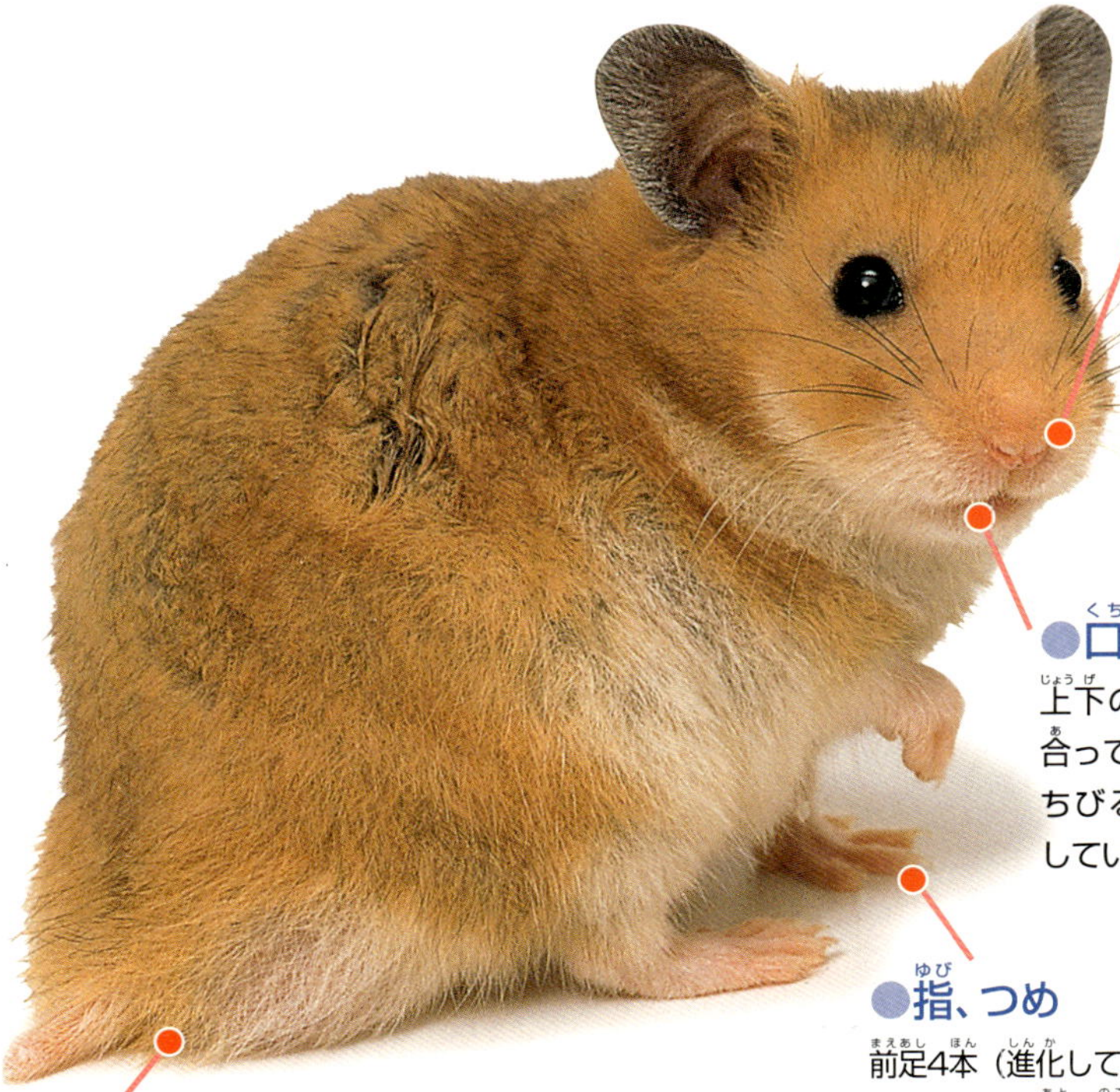

鼻《はな》

鼻水《はなみず》が出《で》ていないか？

口《くち》

上下《じょうげ》の門歯《もんし》がかみ合《あ》っているか？ くちびるがはれたりしていないか？

指《ゆび》、つめ

前足《まえあし》4本《ほん》（進化《しんか》して5本《ほん》から4本《ほん》になった。その跡《あと》が残《のこ》っている）、後《うし》ろ足《あし》5本《ほん》の指《ゆび》がそろっているか？ つめが足《あし》の裏《うら》に向《む》かってのびすぎていないか？

おしり

ゆるいウンチがついていたり、ぬれていたりしないか？

ウンチ

茶褐色《ちゃかっしょく》でポロポロしたウンチをしているか？

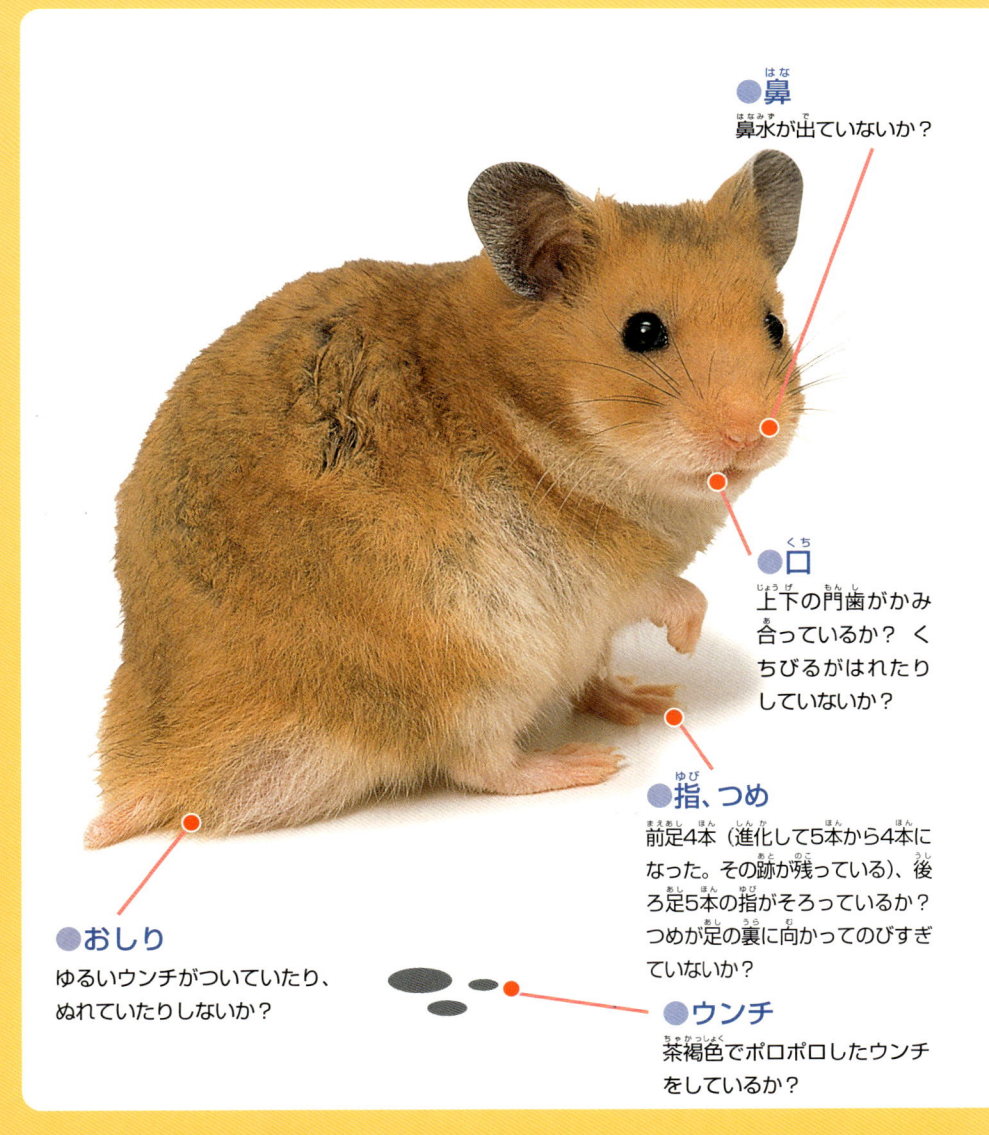

いっしょに買《か》うものは？

さまざまなデザインのケージやおもちゃがあって、どれも試《ため》してみたくなりそう。でも、大事《だいじ》なのは機能性《きのうせい》と安全性《あんぜんせい》です。

牧草《ぼくそう》

トウモロコシチップ

床材《ゆかざい》とトイレ

ハムスターはトイレの場所《ばしょ》を決《き》めてオシッコやウンチをしますが、1カ所《しょ》だけとは限《かぎ》りません。はじめはトイレを置《お》いてみたくなりますが、実際《じっさい》にはあまり必要《ひつよう》ないものです。また、トイレにかたまる砂《すな》を敷《し》く人《ひと》もよくいますが、かたまる砂《すな》が目《め》やおしりにくっついてしまうとやっかいです。うっかり飲《の》みこむとおなかのなかでかたまってしまう危険《きけん》もあるので、おすすめできません。

一方《いっぽう》、ケージに敷《し》く床材《ゆかざい》は、土《つち》や過熱処理《かねつしょり》されたウッドチップ、牧草《ぼくそう》などの自然素材《しぜんそざい》を使《つか》いましょう。

回《まわ》し車《ぐるま》

ハムスターは回《まわ》し車《ぐるま》が大《だい》すきです。しかし、すき間《ま》のあるタイプは足《あし》をはさんで骨折《こっせつ》するおそれがあります。すき間《ま》のないタイプを選《えら》ぶか、すき間《ま》をボール紙《がみ》やテープなどでふさいであげましょう。

そうじ用具《ようぐ》

水槽《すいそう》や巣箱《すばこ》などをそうじするために専用《せんよう》のスポンジやほうきなどを用意《ようい》しましょう。ハムスターと人間《にんげん》では細菌《さいきん》に対《たい》する抵抗力《ていこうりょく》がちがうので、日常《にちじょう》のそうじ用具《ようぐ》と併用《へいよう》しないようにします。給水《きゅうすい》ボトルをそうじする細《ほそ》いブラシなどもあると便利《べんり》です。

「自分《じぶん》でケージや回《まわ》し車《ぐるま》をつくろう」なんてきみが思《おも》っているなら、それは難《むずか》しいかも。ぼくたちは小《ちい》さいから、専《せん》用《よう》のグッズを使《つか》うほうがかんたんだよ。

水槽《すいそう》タイプ

金網《かなあみ》タイプ

●ケージ

ペットショップでは金網《かなあみ》ケージがよく販売《はんばい》されています。しかし、金網《かなあみ》ケージは、足《あし》をはさんで骨折《こっせつ》したり、歯《は》を折《お》ったりと、ハムスターにとって危険《きけん》がいっぱいです。
水槽《すいそう》タイプは、土《つち》のなかを掘《ほ》って巣《す》をつくる本来《ほんらい》の暮《く》らしを再現《さいげん》することができます。そうじや湿気《しっけ》対策《たいさく》など多少手間《たしょうてま》がかかりますが、どちらがハムスターにやさしい環境《かんきょう》かを優先《ゆうせん》して考《かんが》えましょう。

●巣箱《すばこ》

陶器製《とうきせい》のようにかじれないもの、木製《もくせい》などのかじっても安全《あんぜん》なものを選《えら》びましょう。天井《てんじょう》がはずれたり、底《そこ》のないものはそうじがしやすく便利《べんり》です。ティッシュの箱《はこ》などを代用《だいよう》してもかまいません。

●水飲《みずの》み

器《うつわ》に水《みず》を入《い》れて床《ゆか》に置《お》くタイプはさけましょう。水《みず》が汚《よご》れると病気《びょうき》の原因《げんいん》になります。飲《の》みたい分《ぶん》だけ水《みず》が出《で》てくる給水《きゅうすい》ボトルがおすすめです。

いっしょに買《か》うものは？

おもちゃ

たくさんのおもちゃが販売《はんばい》されていますが、ハムスターにとってはそんなにうれしくないもの。ハムスターボールで必死《ひっし》に走《はし》るより、部屋《へや》を散歩《さんぽ》するほうが自由《じゆう》ですし、からだのやわらかいハムスターにハーネス（首輪《くびわ》とひも）は苦《くる》しいものです。自然《しぜん》のなかで過《す》ごすほうがずっと快適《かいてき》なのです。

●かじり木《ぎ》

一生《いっしょう》歯《は》がのびつづけるハムスターの、歯《は》ののびすぎを防《ふせ》いでくれます。また、ストレス解消《かいしょう》にも。つるすタイプやスタンドタイプなど種類《しゅるい》も豊富《ほうふ》ですが、着色《ちゃくしょく》のないものを選《えら》びましょう。

●わらスティック

草《くさ》の葉《は》や茎《くき》など、草食《そうしょく》を基本《きほん》とするハムスターはわらも好《す》きです。かじって遊《あそ》ぶほか、食《た》べてしまっても安全《あんぜん》。

人工飼料《じんこうしりょう》

種子《しゅし》や穀物《こくもつ》などのミックスフーズ（カスタムフーズともいう）やペレットがあります。ペレットは半生《はんなま》タイプと固形《こけい》タイプがありますが、固《こ》形《けい》タイプがよいでしょう。半生《はんなま》タイプは歯《は》の伸《の》びすぎ防止《ぼうし》には役立《やくだ》ちませんし、保存料《ほぞんりょう》が多《おお》いのが一般的《いっぱんてき》です。

おやつ

数《かぞ》えきれないほどたくさんの種類《しゅるい》が出《で》ていますが、おやつは太《ふと》る原因《げんいん》になるのであまりあげないようにしましょう。消臭効果《しょうしゅうこうか》のある商品《しょうひん》や添加物《てんかぶつ》の多《おお》いものはさけましょう。

●ナッツ類《るい》

ヒマワリの種《たね》のほか、ピーナッツやアーモンド、カシューナッツなどのナッツ類《るい》がミックスされた人気《にんき》のおやつ。

●煮干《にぼ》し

ハムスターには動物《どうぶつ》性《せい》たんぱく質《しつ》も必要《ひつよう》です。食事《しょくじ》の10%程度《ていど》あげるのはよいでしょう。

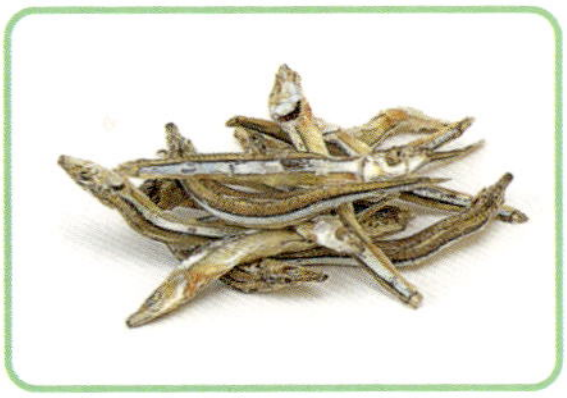

●乾燥果物《かんそうくだもの》

リンゴ、柿《かき》、バナナ、ブドウ、イチゴ、パイナップルなどの種類《しゅるい》があります。普通《ふつう》の果物《くだもの》はあげすぎると下痢《げり》を起《お》こしますが、これなら安心《あんしん》。

●おかしバー

穀類《こくるい》、種子《しゅし》、果物《くだもの》、はちみつなどがぎっしりかためられたバータイプのおかし。太《ふと》るので毎日《まいにち》はあげないこと。食欲《しょくよく》のないときに便利《べんり》です。

●乾燥野菜《かんそうやさい》

カボチャ、インゲン、ニンジン、キャベツ、サツマイモなどの種類《しゅるい》があります。生野菜《なまやさい》を風通《かぜとお》しのよいベランダなどに天日干《てんびぼ》ししておけば自分《じぶん》でもつくれます。

●チーズ

人間《にんげん》が食《た》べる減塩《げんえん》のチーズ、またはハムスター専用《せんよう》のチーズをあげましょう。

ハムスターの持《も》ちもの

水《みず》を床《ゆか》に置《お》かれるとこまるなあ…
うわあ！かじったら色《いろ》がはげた！
○
水入《みずい》れ
×
巣箱《すばこ》
○
×
○
床材《ゆかざい》
○
回《まわ》し車《ぐるま》
×
○
×
かわいいけど、外《そと》からまる見《み》え。あまりすきじゃないなあ
おもちゃ
×
綿《わた》は、おなかにたまったり目《め》に入ったりしてキケン
○
えさ入《い》れ
○
トイレットペーパーのしん
×
ハムスターボール
はっきりいってこのなかで回《まわ》っていても、おもしろくないね。

PART3

ハムスターの気《き》持《も》ち

HAMSTER

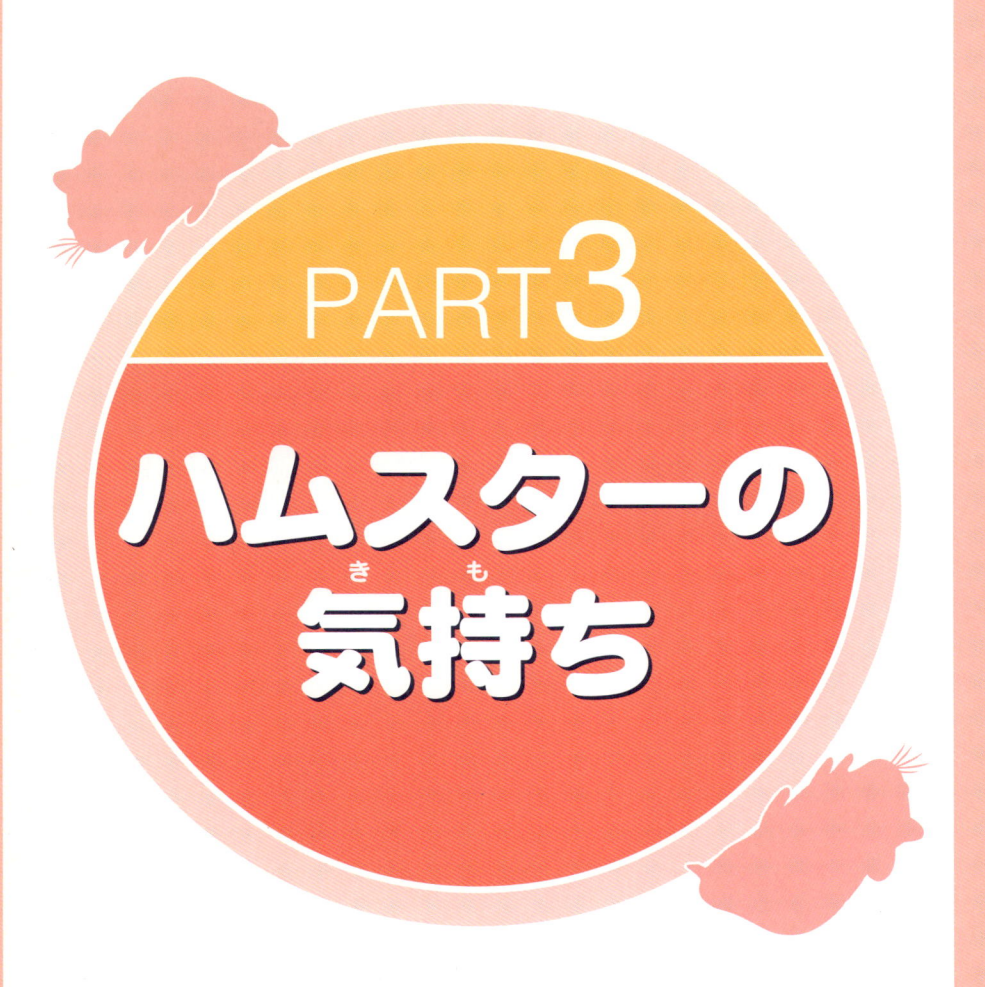

ハムスターのお得意《とくい》ポーズ

ハムスターはさまざまな表情《ひょうじょう》やしぐさでわたしたちを楽《たの》しませてくれます。何時間《なんじかん》見《み》ていてもちっともあきることがありません。

食《た》べる

両手《りょうて》を使《つか》って、食《た》べものをしっかりはさんでモグモグ。食《た》べにくくなると、食《た》べものを器用《きよう》に回転《かいてん》させたりします。

眠《ねむ》る

最初《さいしょ》はすわった状態《じょうたい》でまるくなりますが、しだいに横向《よこむ》きになったり、あお向《む》けになったり。べったりと腹《はら》ばいになってしまうこともあります。

隠《かく》れる

見当《みあ》たらないなと思《おも》うと背中《せなか》の模《も》様《よう》だけ見《み》えていたり、鼻先《はなさき》のひげだけ動《うご》いていたり。家具《かぐ》のすき間《ま》、床材《ゆかざい》のなかなど、どこにでも隠《かく》れてしまいます。

きみの家《いえ》にやってきて1週間《しゅうかん》くらいは緊張《きんちょう》しているから、あまりいろんな表《ひょう》情《じょう》をみせないかも。仲《なか》よしになるにつれて、いろんな動作《どうさ》をしはじめるよ。

おどろく

おどろいたときには、後《うし》ろに倒《たお》れてしりもちをついてしまいます。しぐさはとてもかわいいけれど、あまりおどかさないでください。

かぐ

鼻先《はなさき》をぴくぴく動《うご》かすのは、においをかいでいるとき。ハムスターはあまり目《め》がよくないので、においで方向《ほうこう》などを判断《はんだん》しています。

トイレ

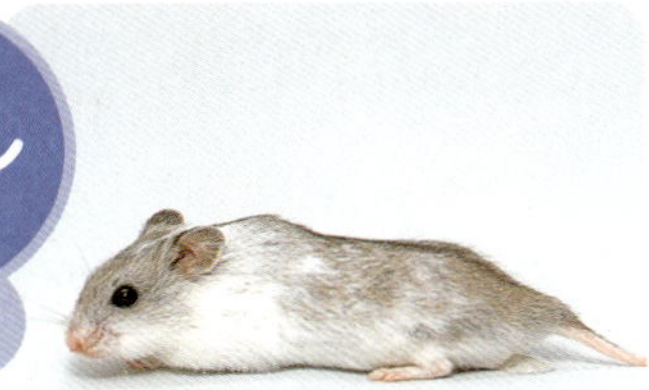

ちょっとおしりが下《さ》がって、じっとしているとき、ハムスターはトイレ中《ちゅう》です。たまに歩《ある》きながらウンチを落《お》としていくこともあります。

遊《あそ》ぶ

回《まわ》し車《ぐるま》で遊《あそ》んでいるとき、ハムスターは全速力《ぜんそくりょく》で走《はし》っています。速《はや》く走《はし》りすぎて、止《と》まった瞬間《しゅんかん》にからだだけ回転《かいてん》してしまうこともあります。

もぐりこむ

床材《ゆかざい》のなかにもぐろうと、前足《まえあし》で床材《ゆかざい》をかきわける姿《すがた》はユニークです。勢《いきお》いで後《うし》ろ足《あし》までジタバタしてしまいます。

運《はこ》ぶ

食《た》べものはほおぶくろに詰《つ》めて、巣箱《すばこ》のなかなどへ運《はこ》びます。大《おお》きすぎる食《た》べものはくわえて運《はこ》ぶこともあります。

ポーズ！そのココロは？

かわいいしぐさはみんな意味《いみ》があるもの。いろいろなポーズのパターンを知《し》って、ハムスターの気持《きも》ちをわかってあげましょう。

基本《きほん》のポーズ

●すわる

ちょこんとおすまし顔《がお》でおすわり。
何《なに》を考《かんが》えているのかな。

●食《た》べる

「おいしい、おいしい、おいしいっ」
という感《かん》じ。

●立《た》つ

後《うし》ろ足《あし》でふんばって、
立《た》ち上《あ》がるんだ。

●手《て》を洗《あら》う

手《て》はいつでもきれいになめておかないとね。

●歩《ある》く

ぼくの歩《ある》くところにおやつが落《お》ちていないかなあ。

ちっちゃくたって、ぼくたちは犬《いぬ》や猫《ねこ》と同《おな》じほ乳類《にゅうるい》。似《に》た動作《どうさ》をするでしょ。でも、猫《ねこ》が立《た》てる？　犬《いぬ》がはしごをのぼれる？

リラックスのポーズ

●横向《よこむ》きで寝《ね》る

眠《ねむ》くて眠《ねむ》くて警戒《けいかい》モードもゆるんじゃう。

●あお向《む》けで寝《ね》る

ひげも口元《くちもと》もちょっとゆるんでる。

●おっぱい

あー。おいしい。大《おお》きくならなきゃ。

●おなかのお手《て》入《い》れ

からだがやわらかいから、おしりもそうじできちゃう。

●あくび

寝起《ねお》きにしか見《み》られないから要《よう》チェック。

●のび

まるまって寝《ね》ているとからだがこっちゃう。

ポーズ！そのココロは？

好奇心《こうきしん》のポーズ

●顔《かお》を上《あ》げる

からだは平《ひら》べったく顔《かお》だけキョロキョロ、探偵《たんてい》気分《きぶん》？

●立《た》ち上《あ》がる

ひげがピンと立《た》ってアンテナ代《が》わり。

●ほおぶくろいっぱい

まだまだほかにおいしいものないかな？

●のぼる

ほんとはのぼるのは苦手《にがて》。無理《むり》じいしない。

怖《こわ》いのポーズ

●立《た》ち止《ど》まる

片足《かたあし》だけ上《あ》げたまま、様子《ようす》をうかがってるよ。

●あお向《む》けであばれる

キーキーなくのは怖《こわ》いから。さわるのはやめよう。

●首《くび》をひっこめる

首《くび》をすくめて、逃《に》げる体勢《たいせい》。

●歯《は》をむき出《だ》す

身《み》を守《まも》るため戦《たたか》ってるんだ。

そっとしてあげて。

「なんとかしてよっ！」のサイン

安全《あんぜん》にハムスターを飼《か》いつづけるには、ハムスターの出《だ》す、何《なに》げないサインにちゃんと気《き》づいてあげることが大事《だいじ》です。

かむ

なついていたのに突然《とつぜん》かむようになったら、何《なに》か異常《いじょう》の印《しるし》。ハムスターの気持《きも》ちの問題《もんだい》なのか、からだの問題《もんだい》なのか、よく観察《かんさつ》しましょう。獣医《じゅうい》さんの診察《しんさつ》が必要《ひつよう》な場合《ばあい》もあります。

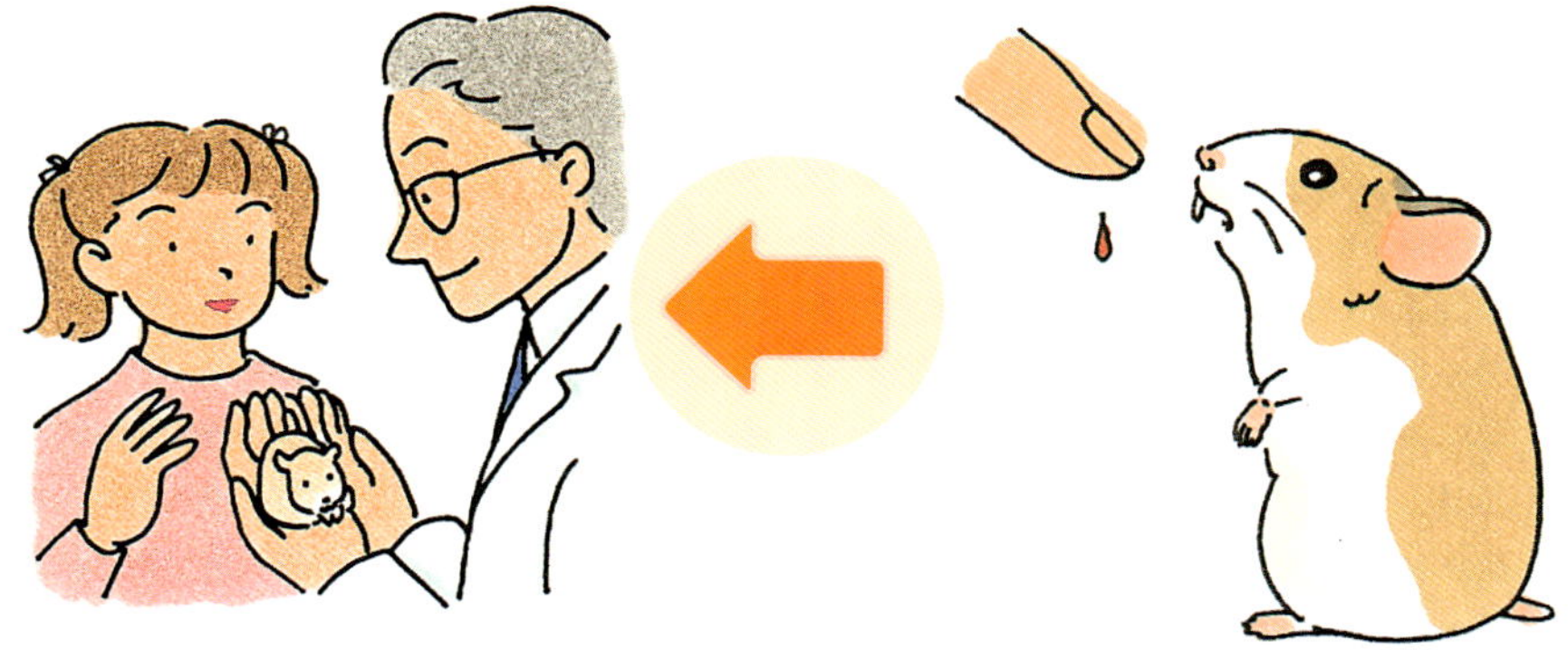

なく

「ジジッ」「チチッ」などなき声《こえ》が聞こえたとき、無理《むり》やりおなかをさわったりしていませんか？嫌《いや》がることはしないように。

ぼくたちは具合《ぐあい》が悪《わる》くなっても、言葉《ことば》や態度《たいど》でうったえることができない。でも、毎日《まいにち》お世話《せわ》してくれるきみなら、変化《へんか》に気《き》づいてくれると思《おも》うんだ。

呼吸《こきゅう》が荒《あら》い

いつもなら小《ちい》さく上下《じょうげ》しているハムスターの背中《せなか》が大《おお》きく動《うご》いていたら、ふだんとは違《ちが》う呼吸《こきゅう》。室温《しつおん》が高《たか》すぎないか、病気《びょうき》じゃないかをチェックしましょう。

表情《ひょうじょう》がさえない

活発《かっぱつ》に動《うご》き回《まわ》っているのに、表情《ひょうじょう》が苦《くる》しそうだったり、なんとなくさえなく見《み》えるときは、どこか痛《いた》いのかもしれません。病院《びょういん》で健康診断《けんこうしんだん》をしてもらえば、安心《あんしん》できます。

ハムスターのやさしい扱《あつか》い方《かた》

ハムスターはとても小《ちい》さい動物《どうぶつ》です。わたしたちの何《なに》げないさわり方《かた》で怖《こわ》がらせたり、傷《きず》つけたりしないように気《き》をつけましょう。

ハムスターを手《て》にのせる

1

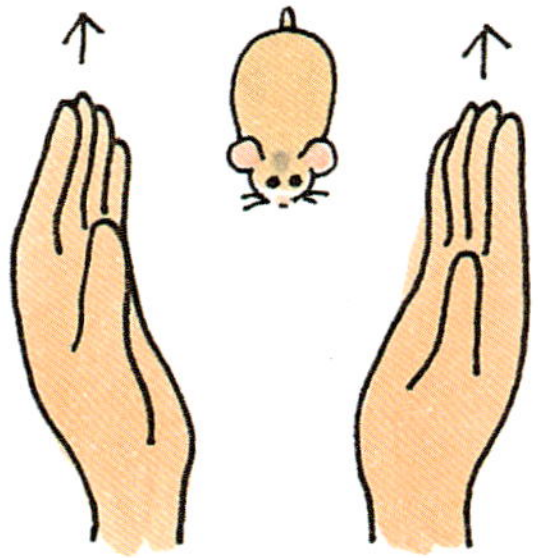

ハムスターを上《うえ》や後《うし》ろから急《きゅう》につかむと、おどろいてかむことがあります。ハムスターを手《て》にのせたいときは、前《まえ》からそっと手《て》を広《ひろ》げて近《ちか》づきましょう。

2

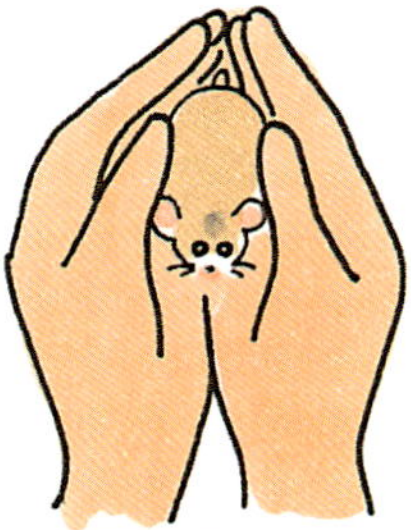

次《つぎ》に、ハムスターの両《りょう》わきに手《て》を寄《よ》せて、すくうように手《て》にのせます。びっくりしてジャンプするハムスターもいるので、棚《たな》の上《うえ》などの高《たか》いところではしないこと。

×耳《みみ》やしっぽをつまむ

耳《みみ》やしっぽは、とくに敏感《びんかん》な部分《ぶぶん》。かわいいからつまみたくなってしまうけれど、見《み》るだけにしましょう。

×おなかをさわる

かるーくさわっているつもりでも、ハムスターにとっては30t《トン》の巨人《きょじん》の手《て》で押《お》されているようなもの。とっても痛《いた》いのです。

ぼくたちはおくびょうなの。自然《しぜん》のなかでは逃《に》げるが勝《か》ちだから。急《きゅう》に後《うし》ろからさわったりしておどかさないでね。

怖《こわ》がりのハムスターを移動《いどう》させたい

1

なかには、怖《こわ》がりでなかなか手《て》にのってくれないハムスターもいます。そんな子《こ》には巣箱《すばこ》、あるいは遊《あそ》び道《どう》具《ぐ》としていれている筒状《つつじょう》のものを使《つか》うといいでしょう。これらのなかにハムスターを誘導《ゆうどう》します。

2

ハムスターがなかに入《はい》ったら、入《はい》り口《ぐち》を手《て》でふさぎ、持《も》ち上《あ》げ、移動用《いどうよう》ケージなどに慎重《しんちょう》に移動《いどう》させます。

3

入《い》り口《ぐち》をふさいでいた手《て》をはなし、しばらくすると、外《そと》に出《で》て遊《あそ》ぶようになるでしょう。

×無理《むり》やりつかむ

無理《むり》やり何《なに》かするのは、飼《か》い主《ぬし》として決《けっ》してしてはいけないこと。ハムスターが手《て》にのってくれないときはそっとしておきましょう。

×後《うし》ろからつかまえる

野生《やせい》の世界《せかい》では、上《うえ》から後《うし》ろから敵《てき》がねらっています。「食《た》べられる！」とおどろいて思《おも》わずかみついてくるかもしれません。

手《て》のりハムスターにする

ハムスターが手《て》のりになったら？　考《かんが》えただけでもワクワクしますね。しかし、それには長《なが》い道《みち》のりが待《ま》っています。

1

ハムスターは環境《かんきょう》の変化《へんか》に弱《よわ》い動物《どうぶつ》です。ペットショップから新《あたら》しい家《いえ》に引《ひ》っ越《こ》してきた日《ひ》はとても緊張《きんちょう》しています。たとえば鼻《はな》をかむ音《おと》にさえビクビクしているもの。3～4日間《かかん》くらいはハムスターにはさわらないようにしてあげましょう。

2

3～4日《か》たってハムスターが家《いえ》になれてきたら、手《て》から食《た》べものをあげてみましょう。最初《さいしょ》はなかなか近《ちか》よってこないかもしれませんが焦《あせ》らずに。おそるおそるやってきて、食《た》べものをとってサッと逃《に》げていけば成功《せいこう》です。

3

食《た》べものを手《て》であげはじめて3～4日《か》たったら、ハムスターをそっとさわってみましょう。ハムスターの正面《しょうめん》から手《て》をのばして、逃《に》げなかったら頭《あたま》の部分《ぶぶん》をそっとなでてみます。もし逃《に》げるようならやめましょう。

すぐに人《ひと》の手《て》になれる子《こ》と、そうでない子《こ》がいるんだよ。あせらないでね。ゆっくり、ゆっくりネ。

4

ハムスターがあなたの手《て》のにおいになれてきたら、食《た》べものがなくても近《ちか》よってくるかもしれません。そっと手《て》を差《さ》し出《だ》してみましょう。ハムスターが手《て》の上《うえ》にのってきたら、しばらくは動《うご》かずにいます。

5

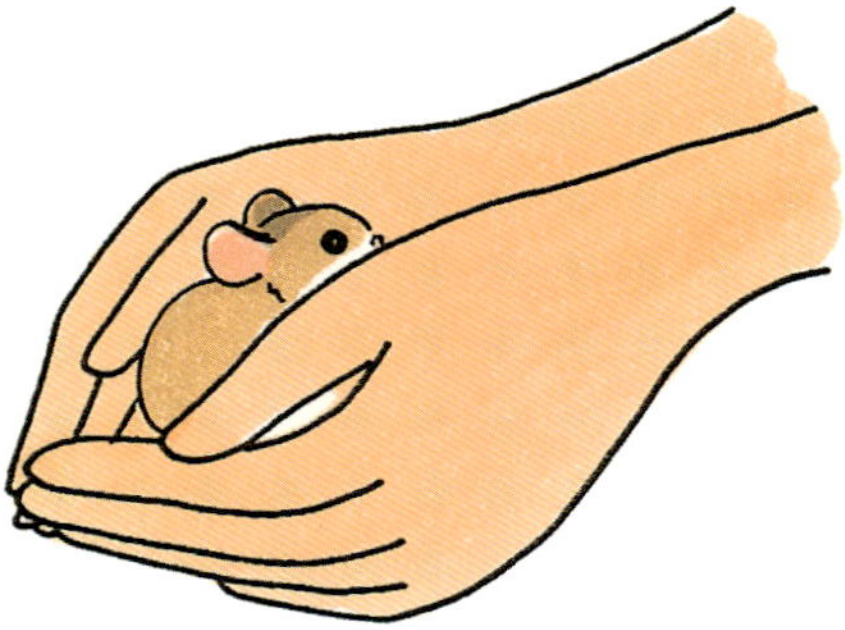

ハムスターが手《て》の上《うえ》から逃《に》げないでいるようなら、もう一方《いっぽう》の手《て》を添《そ》えて手《て》のひらに包《つつ》みこんであげます。このとき、床《ゆか》に近《ちか》い低《ひく》い位置《いち》でハムスターをさわること。1日数回《にちすうかい》、逃《に》げなくなるまでつづけてみましょう。

6

手《て》の上《うえ》にいつでものってくれるようになったら、違《ちが》うもち方《かた》を試《ため》してみましょう。ハムスターのわきの下《した》に親指《おやゆび》とほかの指《ゆび》を入《い》れて片手《かたて》でもち上《あ》げます。必《かなら》ずもう一方《いっぽう》の手《て》を添《そ》えること。薬《くすり》を飲《の》ませるときなどに必要《ひつよう》なもち方《かた》です。

ハムスターのココロ

怖《こわ》がり

大《おお》きな音《おと》がしたり、後《うし》ろや上《うえ》からさわられたりするのはとっても苦手《にがて》。できるだけ静《しず》かにそっとしておいてね。

遊《あそ》びずき

回《まわ》し車《ぐるま》を回《まわ》したり、部屋《へや》のなかを自由《じゆう》に散歩《さんぽ》できる時間《じかん》があったら最高《さいこう》。でも危険《きけん》なもの・場所《ばしょ》はなくしておこう。飼《か》い主《ぬし》がゆっくりくつろげる時《じ》間帯《かんたい》だけ外《そと》に出《だ》そう。

マイペース

夜中《よなか》は回《まわ》し車《ぐるま》で遊《あそ》んだら朝眠《あさねむ》って、夕方《ゆうがた》起《お》きる。おなかがすいたらいつでもごはん。自由気《じゆうき》ままに見《み》えるけれど、ハムスターには規則正《きそくただ》しい生活《せいかつ》。

くいしんぼう

雑食性《ざっしょくせい》で何《なん》でも食《た》べる。でも、おかしは太《ふと》りすぎのもと。ペレットや生《なま》の野菜《やさい》を中心《ちゅうしん》に、添加物《てんかぶつ》の少《すく》ない自《し》然食品《ぜんしょくひん》をあげるようにしたい。

ドジ

すわったままウトウトしていてよろけたり、回《まわ》し車《ぐるま》からおっこちたり。運動神経《うんどうしんけい》のいいハムスターも、ときどきは失敗《しっぱい》もするよ。

きれいずき

ハムスターはとてもきれいずき。1粒《つぶ》ヒマワリの種《たね》を食《た》べるごとに手《て》をなめる。顔《かお》も背中《せなか》も自分《じぶん》のおしりまで、いつもきれいに毛《け》づくろいする。

PART4

ハムスターのおうち

HAMSTER

ケージを置《お》く部屋《へや》

土《つち》のなかに巣穴《すあな》をつくって静《しず》かに暮《く》らすハムスター。部屋《へや》のなかでも、すみ心地《ごこち》のよい環境《かんきょう》をつくってあげましょう。

チェックしたいこと

●日光《にっこう》

強《つよ》い光《ひかり》は嫌《きら》いなので、直射日光《ちょくしゃにっこう》はさけたい。窓《まど》のすぐそばなどはやめて、通気性《つうきせい》が適度《てきど》にあり、昼間《ひるま》は適度《てきど》に明《あか》るいところを選《えら》んであげよう。

●物音《ものおと》

ハムスターは大《おお》きな物音《ものおと》が苦手《にがて》。人間《にんげん》には聞《き》こえない超音波《ちょうおんぱ》や高周波《こうしゅうは》も聞《き》きわけられるので、ＡＶ機器《きき》のそばをさけて、静《しず》かな空間《くうかん》づくりが必要《ひつよう》。

●温度《おんど》

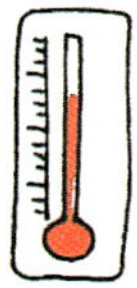

暑《あつ》いのも寒《さむ》いのも苦手《にがて》なハムスターの適温《てきおん》は18～25℃、赤《あか》ちゃんなら22～24℃。エアコンなどを使《つか》って一年中快適《いちねんじゅうかいてき》な温度《おんど》を保《たも》ってあげてほしい。

●人《ひと》の気配《けはい》

本来《ほんらい》、1匹《ぴき》で静《しず》かに気《き》ままに暮《く》らすハムスターだから、大騒《おおさわ》ぎは苦手《にがて》。多少《たしょう》の気配《けはい》にはなれることができるけれど、大《おお》きな声《こえ》などはひかえて。

●湿度《しつど》

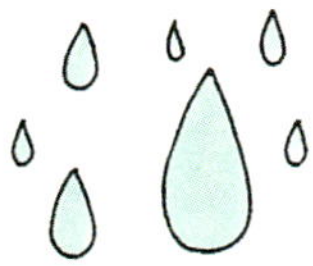

乾燥地帯《かんそうちたい》で暮《く》らしていたので、湿気《しっけ》の多《おお》い日本《にほん》での暮《く》らしはつらい。理想《りそう》は45～55%。エアコンのドライや除湿剤《じょしつざい》でまめな湿度管理《しつどかんり》を。

●エアコン

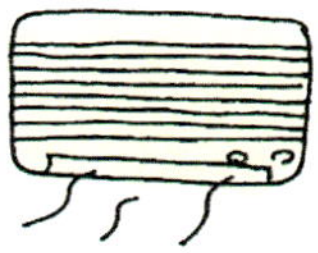

温度管理《おんどかんり》と湿度管理《しつどかんり》のために、エアコンは一年中《いちねんじゅう》使《つか》うと考《かんが》えたほうがいい。ただし、ハムスターに直接風《ちょくせつかぜ》があたると命《いのち》にもかかわるので要注意《ようちゅうい》。

●照明《しょうめい》

昼《ひる》は明《あか》るく、夜《よる》は暗《くら》いなかで暮《く》らすハムスター。明《あ》け方《がた》まで電気《でんき》をつけているような生活《せいかつ》だと体内《たいない》リズムが狂《くる》ってしまう可《か》能性《のうせい》があるので注意《ちゅうい》。

●風《かぜ》

風通《かぜとお》しがよく、湿度《しつど》を低《ひく》くおさえることは大事《だいじ》だけれど、窓《まど》のすぐ横《よこ》はさけよう。秋《あき》から冬《ふゆ》に室温《しつおん》が低《ひく》いと、疑似冬眠《ぎじとうみん》することがあるので注意《ちゅうい》して。

ケージを置《お》く場所《ばしょ》

ケージを置《お》く部屋《へや》は、大勢《おおぜい》が集《あつ》まるにぎやかなリビングや湿気《しっけ》のこもるキッチンより、個人《こじん》の部《へ》屋《や》のほうがおすすめです。

○ 温度計《おんどけい》、湿度計《しつどけい》がついている
○ 昼《ひる》は明《あか》るく夜《よる》は暗《くら》い
× 台《だい》などが安定《あんてい》していない
○ 窓《まど》から1m以上《いじょう》離《はな》れている
× パソコンやAV機器《きき》のそば
× 直接《ちょくせつ》エアコンの風《かぜ》があたる
AV
TV
× 温度《おんど》が変《か》わりやすいドア付近《ふきん》
× 湿気《しっけ》が多《おお》い
○ 床《ゆか》から1mほど高《たか》さがある（寒《さむ》い時期《じき》に温度《おんど》が保《たも》てる）

ケージのつくり

基本的《きほんてき》にはケガの少《すく》ない水槽型《すいそうがた》ケージがおすすめですが、一《いっ》般的《ぱんてき》に利用《りよう》されやすい金網型《かなあみがた》ケージも紹介《しょうかい》します。

水槽型《すいそうがた》ケージ

メリット

- 自然《しぜん》に近《ちか》い生活《せいかつ》ができる。
- ケガをすることがない。
- 外界《がいかい》からの音《おと》が少《すく》ない。

デメリット

- 湿気《しっけ》がこもりやすい。
- そうじに手間《てま》がかかる。
- 横《よこ》から壁越《かべご》しに食《た》べものをあげられない。

使《つか》うときは

- 週《しゅう》1回《かい》の大《おお》そうじを忘《わす》れずに。
- 1日《にち》1回《かい》汚《よご》れた箇所《かしょ》のそうじをする。
- 除湿剤《じょしつざい》を入《い》れたカイロケースを底《そこ》に置《お》く。

金網型《かなあみがた》ケージ

メリット

- 風通《かぜとお》しがよい。
- そうじが簡単《かんたん》。

デメリット

- 金網《かなあみ》に足《あし》をはさみ骨折《こっせつ》することがある。
- 金網《かなあみ》をかじって歯《は》をケガすることがある。
- 金網《かなあみ》をのぼっての落下事《らっかじ》故《こ》がときどきある。

使《つか》うときは

- 2週間《しゅうかん》に1度《ど》は大《おお》そうじをする。
- 金網《かなあみ》を清潔《せいけつ》にふいておく。
- 底《そこ》の金網《かなあみ》をとって木製《もくせい》のすのこを敷《し》くか、床材《ゆかざい》を敷《し》く。

これなら安全《あんぜん》!

のぼれるところなら、どこでものぼってしまうハムスター。でも金網《かなあみ》型《がた》ケージをのぼるのは、天井《てんじょう》からの落下《らっか》など危険《きけん》がいっぱい。骨折《こっせつ》や、金網《かなあみ》をガリガリかんで、大事《だいじ》な歯《は》を傷《きず》つけてしまうことも。

もしどうしても金網型《かなあみがた》ケージを利用《りよう》する場合《ばあい》は、ケージの内側《うちがわ》にアクリル製《せい》の板《いた》などを30cmほどの高《たか》さで貼《は》りつけよう。こうすれば、ハムスターは上《うえ》にのぼることができないので安全《あんぜん》。

ケージのセッティング

1日中《にちじゅう》ハムスターが暮《く》らす部屋《へや》は、わたしたちの楽《たの》しみよりもハムスター自身《じしん》の快適《かいてき》さが何《なに》より大事《だいじ》です。すみよい部屋《へや》をつくりましょう。

理想的《りそうてき》な住《す》まい

回《まわ》し車《ぐるま》

足《あし》をはさむ危険《きけん》のない、すき間《ま》のないものがいい。すき間《ま》がある場合《ばあい》は内側《うちがわ》にボール紙《がみ》などを貼《は》る。

巣箱《すばこ》

木材《もくざい》の、かじっても安心《あんしん》なもの、または陶器製《とうきせい》のものをすみっこのほうに置《お》く。

水飲《みずの》み

床《ゆか》に置《お》くタイプは病気《びょうき》の発生《はっせい》のもとになる場合《ばあい》があるので、給水《きゅうすい》ボトルタイプを選《えら》ぶ。立《た》ち上《あ》がって楽《らく》に飲《の》める高《たか》さにとりつける。

床材《ゆかざい》

自然素材《しぜんそざい》の牧草《ぼくそう》が理想《りそう》。トイレットペーパーなどの水《みず》にとける紙《かみ》をちぎったものもよい。

代用巣穴《だいようすあな》

陶器製《とうきせい》や紙製《かみせい》の筒状《つつじょう》のものを置《お》くと、巣穴《すあな》のかわりになる。

エサ入《い》れ

プラスチック製《せい》は皮膚炎《ひふえん》を起《お》こすことがあるのでさける。陶器製《とうきせい》の安定感《あんていかん》のあるものを選《えら》ぶ。

かくれる場所《ばしょ》、
動《うご》き回《まわ》れるスペース、
どっちも
必要《ひつよう》なんだ。

これはやりすぎ

飼育用品《しいくようひん》やおもちゃが多《おお》すぎて動《うご》きにくい。そうじもしにくくサボりがちに。

回《まわ》し車《ぐるま》
はしご
水飲《みずの》み
巣箱《すばこ》
床材《ゆかざい》
エサ入《い》れ
プラスチックチューブ
おもちゃ

床材《ゆかざい》で快適《かいてき》に

●ウッドチップ

中毒《ちゅうどく》を起《お》こすことがあり、管理《かんり》も悪《わる》くなりがち。さけたほうがいい。

●牧草《ぼくそう》

少《すこ》し高価《こうか》で吸水性《きゅうすいせい》が悪《わる》いが、食《た》べても安全《あんぜん》な牧草《ぼくそう》はおすすめ。

●紙《かみ》

トイレットペーパーのような水《みず》にとけるものがよい。ビニールの入《はい》ったものは×。

●土《つち》

自然《しぜん》に近《ちか》い環境《かんきょう》だが、そうじがしにくく、採取《さいしゅ》した土《つち》にばい菌《きん》がいることも。

●わら

加熱処理《かねつしょり》されていないもの、皮膚《ひふ》を刺激《しげき》する防腐処理《ぼうふしょり》がされているものは危険《きけん》。

●トウモロコシチップ

アレルギーを起《お》こしにくい上《うえ》に吸水性《きゅうすいせい》もいい。なかなか店《みせ》に置《お》いていないのが難《なん》。

理想《りそう》の広《ひろ》さ

ゴールデン

幅《はば》35×奥行《おくゆ》き35cmの広《ひろ》さと高《たか》さ20cm程度《ていど》が理想的《りそうてき》。最低《さいてい》でも幅《はば》30×奥行《おくゆ》き30cmは欲《ほ》しい。

ペアのジャンガリアン

幅《はば》40×奥行《おくゆ》き40×高《たか》さ20cmぐらいの広《ひろ》さがあれば、ゆったり暮《く》らせる。

家族《かぞく》のジャンガリアン

幅《はば》60×奥行《おくゆ》き30×高《たか》さ20cmの衣《い》装《しょう》ケースなどを利用《りよう》するといい。

SAKAI-PET
CORPORATION

遊《あそ》び道具《どうぐ》

細《ほそ》い通路《つうろ》や狭《せま》い場所《ばしょ》などがだいすきなハムスターの遊《あそ》び道具《どうぐ》。なかには危険《きけん》なものもあるので、安全《あんぜん》なものを選《えら》びましょう。

回《まわ》し車《ぐるま》

運動不足《うんどうぶそく》の解消《かいしょう》に

ハムスターといえば回《まわ》し車《ぐるま》を連想《れんそう》するぐらい、回《まわ》し車《ぐるま》は必須《ひっす》アイテムといえるでしょう。夜中《よなか》にこの回《まわ》し車《ぐるま》を使《つか》って何《なん》kmも走《はし》るといいます。狭《せま》いケージのなかで暮《く》らすハムスターにとっては運動不足《うんどうぶそく》の解消《かいしょう》になくてはならないものかもしれません。しかし、はしご状《じょう》のすき間《ま》がある回《まわ》し車《ぐるま》では、足《あし》をはさんで骨折《こっせつ》する例《れい》が多《おお》くあります。できるならすき間《ま》のないタイプを選《えら》んであげましょう。

回《まわ》さないときは

まれにハムスターが回《まわ》し車《ぐるま》を回《まわ》さないことがあります。これはたいていハムスターのからだに回《まわ》し車《ぐるま》のサイズが合《あ》っていない場合《ばあい》に起《お》こります。まだ赤《あか》ちゃんのときは上手《じょうず》に使《つか》えずにケガをすることがあるので、回《まわ》し車《ぐるま》はケージから出《だ》しておきましょう。ゴールデンハムスター用《よう》、ドワーフ用《よう》とサイズがわかれているので、まちがえないように購入《こうにゅう》してください。

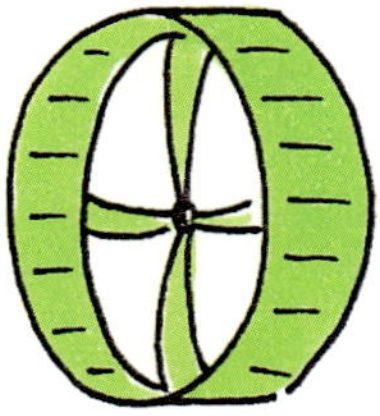

●改良《かいりょう》した回《まわ》し車《ぐるま》

すき間《ま》のある回《まわ》し車《ぐるま》の外側《そとがわ》に、段《だん》ボールなどの紙《かみ》を貼《は》ったものです。ケガの危険《きけん》がなくなり、よりスピードを出《だ》して運動《うんどう》できます。

●トイレットペーパーの芯《しん》

狭《せま》いところがだいすきなハムスターには最適《さいてき》。紙製《かみせい》なので汚《よご》れたら新《あたら》しいものに代《か》えられ、距離《きょり》が短《みじか》いところも安全《あんぜん》です。

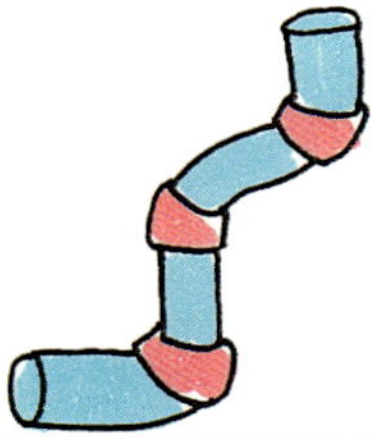

●チューブの遊具《ゆうぐ》

くねくねとつなげていくチューブは見《み》た目《め》が楽《たの》しいおもちゃ。でも、衛生的《えいせいてき》でなく、風通《かぜとお》しも悪《わる》いのでおすすめできません。

●シーソー

ハムスターがペアで暮《く》らす場合《ばあい》は、シーソーは危険《きけん》。片方《かたほう》のハムスターがはさまったり、つぶされたりという心配《しんぱい》があります。

●木製《もくせい》の遊具《ゆうぐ》

迷路状《めいろじょう》になっている木製《もくせい》のおもちゃ。ただし使《つか》うときは落下《らっか》してもいいように、手前《てまえ》にやわらかいクッションなどを用意《ようい》しましょう。

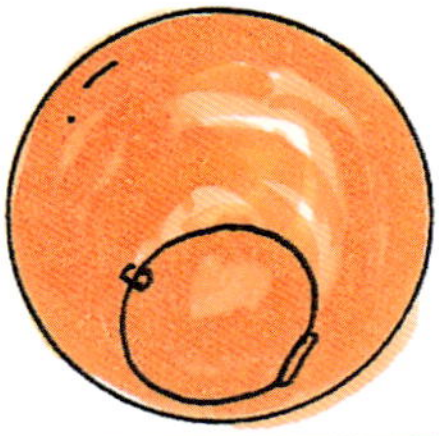

●ハムスターボール

透明《とうめい》なボールのなかでくるくる回《まわ》る散歩道具《さんぽどうぐ》ですが、壁《かべ》にぶつかる衝撃《しょうげき》を緩和《かんわ》する工夫《くふう》が必要《ひつよう》です。まめなそうじも忘《わす》れないように。

ストレスをへらす

ハムスターにはさまざまな苦手《にがて》なもの、相性《あいしょう》の悪《わる》いものがあります。できるだけストレスのない環境《かんきょう》においてあげましょう。

●猫《ねこ》

ネズミを追《お》いかけるのが得意《とくい》な猫《ねこ》はハムスターの天敵《てんてき》。できるなら猫《ねこ》は飼《か》わないか、別々《べつべつ》の部屋《へや》にわけてあげましょう。

●犬《いぬ》

犬《いぬ》にケージの外《そと》から鼻《はな》を近《ちか》づけられたらハムスターはびっくり。犬《いぬ》の届《とど》かない高《たか》さにケージを置《お》くか、別々《べつべつ》の部屋《へや》にわけてあげましょう。

●大声《おおごえ》

家族《かぞく》が集《あつ》まるリビングなど大声《おおごえ》が聞《き》こえる場所《ばしょ》よりは、静《しず》かな部屋《へや》のほうがハムスターは安心《あんしん》します。

●ドア

バタンバタンとひっきりなしに開閉《かいへい》するドア付近《ふきん》は音《おと》や振動《しんどう》も激《はげ》しく、温《おん》度《ど》の変化《へんか》も起《お》きやすいのでさけましょう。

●OA、AV機器《きき》

人間《にんげん》には聞《き》こえない高周波《こうしゅうは》や超《ちょう》音波《おんぱ》を聞《き》きわけるハムスターですから、OA、AV機器《きき》の近《ちか》くは大《おお》きなストレスを与《あた》えます。

●明《あか》るい夜《よる》、暗《くら》い昼《ひる》

夜《よる》に活動《かつどう》するとはいっても、それは暗《くら》やみでのこと。リズムを狂《くる》わさないように、暗《くら》い夜《よる》、明《あか》るい昼《ひる》の区別《くべつ》をつけて。

●キッチン、トイレ、浴室《よくしつ》

何《なに》よりも湿気《しっけ》が苦手《にがて》。キッチン、トイレ、浴室付《よくしつふ》近《きん》にケージを置《お》くのはやめましょう。

●小《ちい》さな子《こ》ども

力《ちから》の加減《かげん》がわからない小《ちい》さな子《こ》どももハムスターの天敵《てんてき》です。大人《おとな》がついている時間以外《じかんいがい》はさわらないように言《い》っておきましょう。

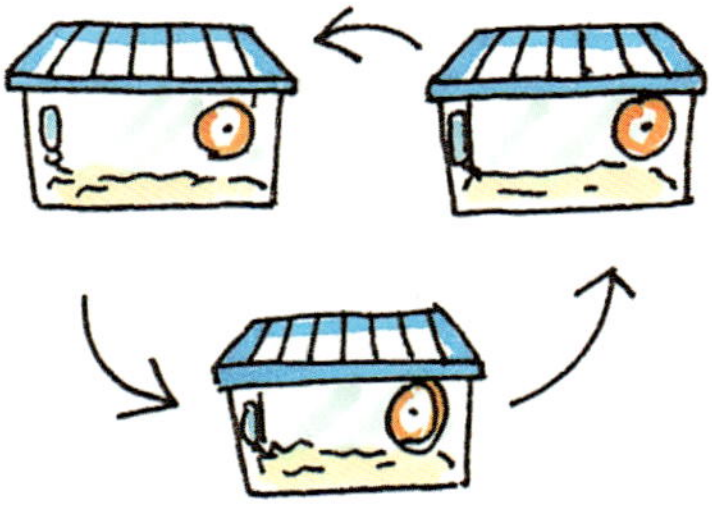

●ケージの移動《いどう》

ケージの移動《いどう》はハムスターにとっては大《おお》地震《じしん》のようなもの。できるだけ同《おな》じ場所《ばしょ》に置《お》いて動《うご》かさないで。

●暑《あつ》さ、寒《さむ》さ

暑《あつ》いのも寒《さむ》いのもからだに大《おお》きな負担《ふたん》をかけます。エアコンや温度調節《おんどちょうせつ》のできる電気器具《でんききぐ》（オイルヒーター、パネルヒーター、こたつ）、ペットヒーターなどを使用《しよう》して適温《てきおん》を保《たも》つようにしてください。一酸化炭素《いっさんかたんそ》を出《だ》すガスストーブや石《せき》油《ゆ》ストーブは危険《きけん》なので、使用《しよう》しないようにしましょう。

●振動《しんどう》

大《おお》きな音《おと》が苦手《にがて》なら、大《おお》きな揺《ゆ》れも苦手《にがて》です。できるなら騒《さわ》がしい子《こ》ども部屋《べや》より大人《おとな》の部屋《へや》にケージを置《お》きましょう。

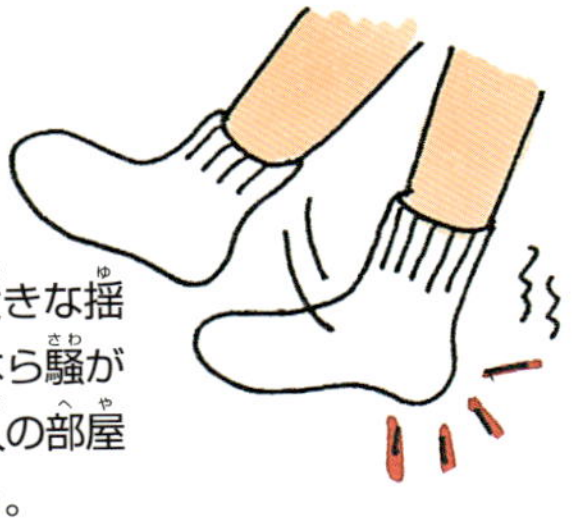

そうじのしかた

ハムスターはとってもきれいずき。病気《びょうき》にかからないように
ケージのなかはいつも清潔《せいけつ》にしてあげましょう。

床《ゆか》　材《ざい》

トイレに使《つか》っていると予想《よそう》される場所《ばしょ》の床材《ゆかざい》を一部《いちぶ》とりのぞき、新《あたら》しいものを足《た》しておきましょう。目《め》につくウンチなども捨《す》ててください。

毎日《まいにち》!

水飲《みずの》み

給水《きゅうすい》ボトルの水《みず》は、毎日《まいにち》とりかえましょう。その際《さい》、水《みず》あかなどもとりのぞきます。細《ほそ》いブラシを使《つか》って管《くだ》のなかやゴム部分《ぶぶん》も洗《あら》います。

毎日《まいにち》!

食《しょっ》　器《き》

食《た》べものが入《はい》る食器《しょっき》は、毎《まい》日《にち》そうじするようにします。前《まえ》の日《ひ》に残《のこ》した食《た》べものは捨《す》てるようにしましょう。季《き》節《せつ》によっては腐《くさ》ったりして危険《きけん》です。

毎日《まいにち》!

巣《す》　箱《ばこ》

ハムスターによっては巣箱《すばこ》のなかに食《た》べものをためていることも。腐《くさ》るので、とりのぞいてしまいましょう。ウンチを巣箱《すばこ》でする場合《ばあい》もあるので、それも拾《ひろ》います。

毎日《まいにち》!

回《まわ》し車《ぐるま》

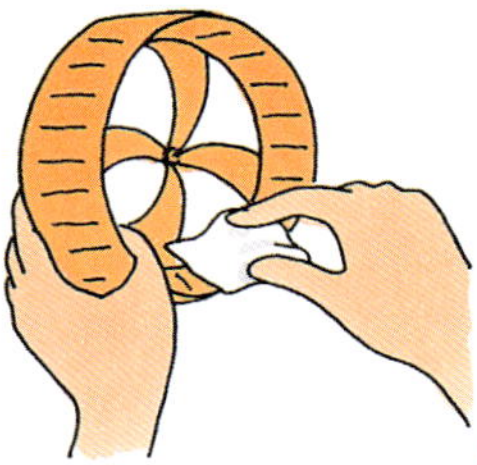

きれいに見《み》える回《まわ》し車《ぐるま》も意《い》外《がい》に汚《よご》れています。季節《きせつ》の変《か》わり目《め》には抜《ぬ》けた毛《け》が付着《ふちゃく》していたりするので、ぬれたティッシュなどできれいにふいてください。

毎日《まいにち》!

巣《す》　穴《あな》

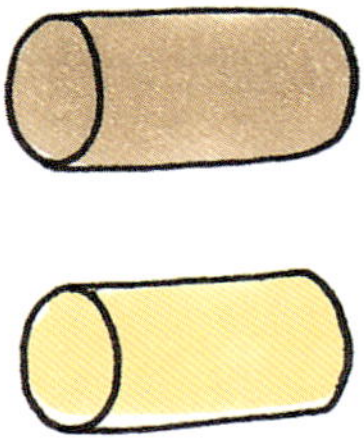

陶器製《とうきせい》の巣穴《すあな》がわりの筒《つつ》も、季節《きせつ》の変《か》わり目《め》には抜《ぬ》けた毛《け》が付着《ふちゃく》するなどして汚《よご》れています。水《みず》洗《あら》いしてください。

週《しゅう》に1回《かい》!

ケージのそうじ

1

ハムスターを移動《いどう》させる

まずハムスターをキャリーケージなどに移《うつ》します。使《つか》っていた床材《ゆかざい》と食《た》べものを少《すこ》し入《い》れるといいでしょう。

2

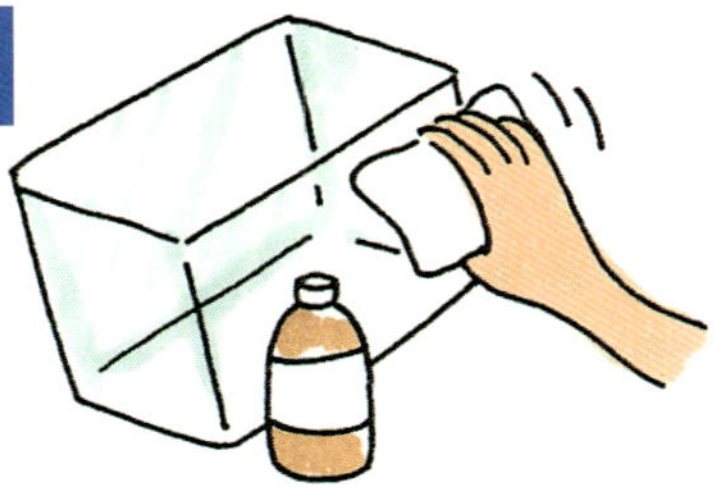

ケースをまる洗《あら》い

床材《ゆかざい》や食《た》べものなどを全部《ぜんぶ》とり払《はら》い、まるごと水洗《みずあら》いします。専用《せんよう》スポンジなどを使《つか》い、すみずみまで洗《あら》いましょう。

3

洗剤成分《せんざいせいぶん》を洗《あら》い流《なが》す

洗剤《せんざい》を使《つか》ったら、そのあと何度《なんど》も水洗《みずあら》いして洗剤《せんざい》の成分《せいぶん》が残《のこ》らないようにします。よく乾燥《かんそう》させてください。

4

熱湯《ねっとう》&日光消毒《にっこうしょうどく》

ケージや用具《ようぐ》などの消毒《しょうどく》をするには熱湯消毒《ねっとうしょうどく》がおすすめです。そのあと、さらに日光《にっこう》で乾《かわ》かしましょう。

ポイント

なわばり意識《いしき》

ハムスターはなわばり意識《いしき》の強《つよ》い動物《どうぶつ》。からだに備《そな》わっている臭腺《しゅうせん》から床材《ゆかざい》にもにおいをつけています。そのためケージの大《おお》そうじをして床材《ゆかざい》も新《あたら》しいものにとりかえてしまうと、ハムスターはどうしていいのかわからなくなってしまいます。大《おお》そうじをしたあとは、古《ふる》い床材《ゆかざい》を少《すこ》しだけ新《あたら》しい床材《ゆかざい》にまぜてあげましょう。すると、ハムスターは安心《あんしん》してまた自分《じぶん》の寝床《ねどこ》をつくりはじめます。

たくさん飼《か》うとき

1つのケージで2匹《ひき》以上《いじょう》をいっしょに飼《か》うときは注意《ちゅうい》が必要《ひつよう》です。種類《しゅるい》や性格《せいかく》によっては、同居《どうきょ》させてはいけない場合《ばあい》もあります。

ゴールデンハムスターは同居《どうきょ》はさける

ゴールデンハムスターはとても温《おん》和《わ》な性格《せいかく》ですが、なわばり意識《いしき》はどのハムスターよりも強《つよ》いのが特《とく》徴《ちょう》です。ゴールデンハムスターの同居《どうきょ》は、必《かなら》ずといっていいほどケンカが起《お》こり、双方《そうほう》のハムスターがケガをする結果《けっか》となるでしょう。子《こ》どもをつくる場合《ばあい》もメスが妊娠《にんしん》可能《かのう》になってから同《おな》じケージに入《い》れて、交尾《こうび》が終《お》わったらすぐに別々《べつべつ》のケージに戻《もど》します。

ドワーフは同居《どうきょ》させることができるが……

ドワーフ（小型《こがた》）ハムスターは、基《き》本的《ほんてき》に複数《ふくすう》の同居《どうきょ》が可能《かのう》といわれています。しかし、初心者《しょしんしゃ》がたくさんのハムスターを飼《か》うのは難《むずか》しいものです。最初《さいしょ》は2匹《ひき》からはじめましょう。なお、子《こ》どもをつくる場合《ばあい》以外《いがい》はオスとメスの同居《どうきょ》はさけましょう。同居《どうきょ》させてもケンカが多《おお》いようなら、別々《べつべつ》のケージに移《うつ》してください。

ある日《ひ》のハムたん

そろそろ大《おお》そうじの時期《じき》だな

汚《よご》れたケージをそうじすることにした。

キレイになって
うれしいだろ？
フフ…

床材《ゆかざい》も新《あたら》しくていいにおい。

キ
…
なんか床材《ゆかざい》に
八《や》つ当《あ》たり
してない？

ところが、暴《あば》れまくること30分《ぷん》。

おちつく…
やっと自分のにおい…

どうやら自分《じぶん》のにおいがしないと大混乱《だいこんらん》するらしい。古《ふる》い床材《ゆかざい》も少《すこ》し入《い》れてあげよう。

ケージの並《なら》べ方《かた》

●水槽型《すいそうがた》

天井部分《てんじょうぶぶん》だけが金網《かなあみ》タイプの水槽型《すいそうがた》ケージは、横《よこ》に並《なら》べて風《かぜ》の通《とお》り道《みち》をふさがないように気《き》をつけます。ケージの数《かず》がふえたら、金網製《かなあみせい》のラックを利用《りよう》するとよいでしょう。

●金網型《かなあみがた》

金網型《かなあみがた》のケージを横《よこ》にいくつも並《なら》べるのは、ハムスター同士《どうし》にストレスがかかるので好《この》ましくありません。安定《あんてい》した台《だい》がある状態《じょうたい》で縦《たて》に重《かさ》ねることをおすすめします。

●ラックを利用《りよう》

ラックを利用《りよう》する場合《ばあい》は通気性《つうきせい》に気《き》を使《つか》うことが大事《だいじ》です。できるなら金網《かなあみ》タイプのラックを選《えら》んでください。ケージの上部《じょうぶ》や側面部分《そくめんぶぶん》にじゅうぶんなすき間《ま》があるか確認《かくにん》しましょう。

じゅうぶんなすき間

ハムスターの五感《ごかん》

●見《み》る

夜《よる》の暗《くら》がりのなかでも、よく見《み》える。でも、近眼《きんがん》なんだ。色《いろ》もほとんど見《み》わけられないの。

●聞《き》く

人間《にんげん》には聞《き》きとれない超音波《ちょうおんぱ》だって、ばっちり聞《き》きわけられるよ。仲間《なかま》どうしは超音波《ちょうおんぱ》で合図《あいず》し合《あ》っているの。

●かぐ

鼻《はな》はよくきくよ。とくにおいしいものと、異性《いせい》のにおいには敏感《びんかん》…!?

●味《あじ》わう

苦《にが》い薬《くすり》は嫌《きら》い！ 甘《あま》いものはどっちかというとすきかな。味《あじ》には敏感《びんかん》だよ。

●さわる

鼻先《はなさき》や足先《あしさき》はデリケートだから、散歩道《さんぽみち》に熱《あつ》いものやとがったものを置《お》いておかないでね。お願《ねが》い！

PART 5

ハムスターのお世《せ》話《わ》

HAMSTER

はじめの１週間《しゅうかん》のお世話《せわ》

はじめてお家《うち》へきたハムスターは緊張《きんちょう》しています。環《かん》境《きょう》の変化《へんか》になれるには、最低《さいてい》１週間《しゅうかん》は必要《ひつよう》。あせらずゆっくり仲《なか》よくなりましょう。

1日目《にちめ》

すぐにさわりたい！　という気持《きも》ちでいっぱいでも、１日目《にちめ》はそっとしてあげましょう。新《あたら》しい家《いえ》にきて緊張《きんちょう》しているハムスター。無理《むり》にさわると、ストレスで病気《びょうき》になってしまうこともあります。

2～3日目《にちめ》

寝《ね》ている時間《じかん》などをさけて、食《た》べもののとりかえやケージの簡単《かんたん》なそうじをします。やっとケージになれてきたハムスターを刺激《しげき》しないよう、用事《ようじ》がすんだらひき上《あ》げましょう。

なれるまでは静《しず》かな場所《ばしょ》で

今《いま》までペットショップで大勢《おおぜい》の仲間《なかま》と暮《く》らしていた幼《おさな》いハムスター。寂《さび》しいという感情《かんじょう》はありませんが、新《あたら》しい家《いえ》に独《ひと》りぼっち、やっぱりとても不安《ふあん》に感《かん》じています。ケージのなかを探検《たんけん》する勇気《ゆうき》もなく、巣箱《すばこ》のなかに入《はい》って出《で》てこないかもしれません。

早《はや》く仲《なか》よくなりたいと思《おも》うなら、まずは早《はや》く家《いえ》になれてもらうことを考《かんが》えましょう。そのためには、できるだけ静《しず》かな場所《ばしょ》で落《お》ち着《つ》ける環境《かんきょう》をつくってあげることが大切《たいせつ》です。しばらくは湿気《しっけ》が少《すく》なく、室温《しつおん》の安定《あんてい》した、人《ひと》の出入《でい》りの少《すく》ない部屋《へや》で過《す》ごさせます。ハムスターとの面会《めんかい》も時間《じかん》を決《き》めて行《おこな》うとよいでしょう。

4〜6日目《にちめ》

そろそろハムスターも新《あたら》しい環境《かんきょう》になれてきます。ケージ越《ご》しに食《た》べものをあげて手《て》のにおいを覚《おぼ》えてもらいましょう。興味《きょうみ》をもって近《ちか》よってくるようなら、まめに食《た》べものをあげてみます。

7日目《にちめ》〜

手《て》のにおいを覚《おぼ》えてもらったら、ケージのなかに静《しず》かに手《て》を入《い》れて、頭《あたま》から背中《せなか》に沿《そ》ってそぉっとなでてみましょう。何日間《なんにちかん》か毎日《まいにち》さわるようにすると、よりなれてきます。次《つぎ》はそっと手《て》のひらにのせてみましょう。

1日《にち》の過《す》ごさせ方《かた》

ハムスターに快適《かいてき》な毎日《まいにち》を過《す》ごしてもらうには、1日《にち》の行動《こうどう》パターンをつかんで、タイミングよくお世話《せわ》をしてあげることが大切《たいせつ》です。

	朝《あさ》	昼《ひる》	夕方《ゆうがた》	
ハムスターの活動《かつどう》	明《あ》け方《がた》、眠《ねむ》りはじめる	たまに起《お》きて動《うご》く	活動開始《かつどうかいし》	ごはんを食《た》べる遊《あそ》ぶ

やってあげること	雨戸《あまど》を開《あ》けて部屋《へや》を明《あか》るくする	水《みず》や食《た》べものが足《た》りているかチェックする	トイレの場所《ばしょ》のそうじや、昨日《きのう》あげた食《た》べものの片《かた》づけをする	新《あたら》しい食《た》べものを補給《ほきゅう》する

規則正《きそくただ》しい生活《せいかつ》がベスト!

ごはんを食《た》べる時間《じかん》がいつもバラバラだったり、睡眠時間《すいみんじかん》が足《た》りなかったりして、生活《せいかつ》のリズムがくずれると、風邪《かぜ》を引《ひ》いたり、からだの調子《ちょうし》が悪《わる》くなったりします。

それはハムスターも同《おな》じこと。ハムスターに合《あ》った規則正《きそくただ》しい生活《せいかつ》をさせてあげることが、健康管理《けんこうかんり》につながるのです。ところが、ハムスターと人間《にんげん》とは生活《せいかつ》のリズムが違《ちが》うため、うっかりハムスターの生活《せいかつ》の邪魔《じゃま》をしてしまいがちです。寝《ね》ているところを起《お》こしたり、無理《むり》やり遊《あそ》んだりはもちろん、すきな時間《じかん》にごはんをあげたりしないこと。時間《じかん》を決《き》めて行《おこな》ってください。

夜《よる》

夜中《よなか》は活発《かっぱつ》に遊《あそ》ぶが、途中《とちゅう》に2時間《じかん》くらいの休《やす》みをとることが多《おお》い

ケージの外《そと》に出して、部屋《へや》を散歩《さんぽ》させてあげる

体重《たいじゅう》をはかるなど、健康《けんこう》をチェックする

夜間《やかん》は部屋《へや》を暗《くら》くしておく

日曜日《にちようび》にはしっかりそうじを!

毎日行《まいにちおこな》うのは、簡単《かんたん》なそうじと食《た》べものをあげることです。そのほかに1週間《しゅうかん》に1度《ど》は大《おお》そうじをします。日曜日《にちようび》を大《おお》そうじの日《ひ》にするとよいでしょう。ケージのまる洗《あら》いをして、床材《ゆかざい》を一部残《いちぶのこ》してとりかえるようにしてください。

毎日《まいにち》のお世話《せわ》のポイント

「いつもと違《ちが》うなあ」、そんな小《ちい》さな変化《へんか》が病気《びょうき》のサインになります。毎日《まいにち》決《き》まった時間《じかん》にお世話《せわ》をして、忘《わす》れずに健康《けんこう》チェックをしてください。

いつもチェックしたいこと

- 水《みず》は毎日《まいにち》とりかえているか
- 昨日《きのう》の食《た》べものの残《のこ》り具合《ぐあい》
- ウンチの大《おお》きさや形《かたち》
- 体重《たいじゅう》の増減《ぞうげん》
- からだにしこりや抜《ぬ》け毛《げ》などがないか
- 目《め》やにや鼻水《はなみず》が出《で》ていないか
- 歩《ある》き方《かた》の変化《へんか》

毎日毎日《まいにちまいにち》、元気《げんき》に遊《あそ》んでいるように見《み》えても、健康《けんこう》とは限《かぎ》りません。なぜなら動物《どうぶつ》には、弱《よわ》っていることを敵《てき》にさとられないように、元気《げんき》なフリをする習性《しゅうせい》があるからです。とくにハムスターは痛《いた》みに対《たい》しての感《かん》覚《かく》が鈍《にぶ》いので、ケガをしていても平《へい》気《き》で回《まわ》し車《ぐるま》で走《はし》っているということもあります。

毎日《まいにち》のお世話《せわ》が食《た》べものと水《みず》の補《ほ》給《きゅう》だけになってしまうと、からだの小《ちい》さな変化《へんか》は発見《はっけん》できません。病気《びょうき》やケガを見《み》のがして、ハムスターをうっかり死《し》なせてしまうかもしれません。そんなことにならないように、食欲《しょくよく》はあるか、おなかの具合《ぐあい》はどうか、からだに異変《いへん》がないかなど、ハムスターのことをしっかり観察《かんさつ》して、健康《けんこう》チェックをしてあげましょう。

12月《がつ》4日《か》(月《げつ》)のハム子《こ》ちゃん

体重《たいじゅう》――35g(+2g)
ウンチ――すこしやわらかめ。色《いろ》は茶色《ちゃいろ》。
オシッコ――少《すこ》し多《おお》め
様子《ようす》――◎とても活発《かっぱつ》に遊《あそ》んでいた。
運動《うんどう》――部屋《へや》のなかを30分《ぶん》ほど散歩《さんぽ》した。

memo

今日《きょう》、部屋《へや》でハム子《こ》を散歩《さんぽ》させていたら、いつものように姿《すがた》が見《み》えなくなった。どこかに隠《かく》れてるのかなと1歩《ぽ》歩《ある》いたとたん、足《あし》もとにいたハム子《こ》をけってしまった。ハム子はコロコロと転《ころ》がってしまった。散歩《さんぽ》のときは、踏《ふ》まないようにすり足《あし》で歩《ある》くようにしていたけれど、けってしまう心配《しんぱい》もあることが判明《はんめい》。散歩《さんぽ》のときは、すわって動《うご》かないようにしようと思《おも》った。

飼育日記《しいくにっき》をつけてみよう

飼育日記《しいくにっき》をつけておくと、いざというときにとても役《やく》に立《た》ちます。

毎日《まいにち》のウンチの色《いろ》や大《おお》きさ、体重《たいじゅう》や食事《しょくじ》の内容《ないよう》、運動量《うんどうりょう》など、書《か》きこむポイントを決《き》めて、毎日同《まいにちおな》じ時間《じかん》にチェックするようにしましょう。そのほかに気《き》づいたことなどを日記《にっき》風《ふう》に書《か》いておくとよいでしょう。

これらがどんなときに役立《やくだ》つのかというと、たとえば食事《しょくじ》の内容《ないよう》がわかると、おなかをこわしたときに何《なに》が悪《わる》かったのかすぐ分析《ぶんせき》できるし、病気《びょうき》になったときに動物病院《どうぶつびょういん》へ行《い》って、獣医《じゅうい》さんにそれまでの記録《きろく》を見《み》せることもできます。また、太《ふと》りすぎにも注意《ちゅうい》することができるのです。

からだのお手入《てい》れ

野生《やせい》と違《ちが》って、人間《にんげん》といっしょに暮《く》らすハムスターの場合《ばあい》は、人間《にんげん》がからだの手入《てい》れをしてあげなくてはいけません。これは病気《びょうき》を防《ふせ》ぐ大事《だいじ》な仕事《しごと》です。

歯《は》・ほおぶくろ

ハムスターの特徴《とくちょう》ともいえる歯《は》とほおぶくろは、食事《しょくじ》をとるための大《だい》事《じ》な器官《きかん》です。この2つどちらの調《ちょう》子《し》が悪《わる》くなっても、ハムスターは食《しょく》事《じ》をとれずにどんどん弱《よわ》ってしまいます。そんなことにならないためにも、ふだんから健康《けんこう》チェックをしてあげましょう。

片方《かたほう》の手《て》で首《くび》の後《うし》ろの皮膚《ひふ》をしっかりつかみ、綿棒《めんぼう》を上《うえ》の切歯《せっし》の後《うし》ろに横《よこ》にあてて口《くち》を開《あ》けさせ、歯《は》や口《くち》のなかの状態《じょうたい》をチェックしよう。気《き》になったときは見《み》てあげよう。

ハムスターの歯《は》は一生《いっしょう》のびつづけます。上下《じょうげ》がかみ合《あ》っていればこすれて自然《しぜん》と削《けず》れますが、かみ合《あ》わせが悪《わる》くなったり、やわらかい食《た》べものばかり与《あた》えていたりすると歯《は》がのびてしまいます。

最初《さいしょ》からかたい食《た》べものやかじり棒《ぼう》を与《あた》えて、歯《は》ののびをおさえるようにしましょう。もし、歯《は》ののびすぎで食事《しょくじ》ができないようなら、獣医《じゅうい》さんに切《き》ってもらう必要《ひつよう》があります。

ほおぶくろのなかは、清潔《せいけつ》にしておかないと、炎症《えんしょう》や化《か》のうなどの症《しょう》状《じょう》が見《み》られることがあります。悪《わる》いほうのほおがはれていたり、口《くち》もとがはれていたりしたら、すぐに病院《びょういん》に行《い》きましょう。

ほおぶくろのなかにいつまでも食《た》べものを隠《かく》しておくハムスターは、ほおぶくろの病気《びょうき》になりやすいので注意《ちゅうい》してください。

つめ

野生《やせい》の暮《く》らしでは自然《しぜん》と削《けず》れるつめも、ケージ内《ない》での暮《く》らしではどんどんのびてしまいがちです。

猫《ねこ》のようにつめとぎなどはできませんが、板《いた》や木《き》の棒《ぼう》など、つめが少《すこ》しでも削《けず》れるようなものをケージのなかに入《い》れておくとよいでしょう。

それでもつめがのびてしまったら、ケガの原因《げんいん》にならないよう、早《はや》いうちに切《き》ってあげます。

使《つか》うのは、つめ切《き》り、または女性《じょせい》用《よう》のまゆばさみ。ハムスターをしっかりおさえ、血管《けっかん》を切《き》らないよう、慎重《しんちょう》に少《すこ》しずつ切《き》ります。ハムスターがあばれるようなら、危険《きけん》なので獣医《じゅうい》さんに任《まか》せましょう。

ハムスターを背中《せなか》からもち、自分《じぶん》の指《ゆび》の上《うえ》にハムスターの手《て》をのせてからだを固定《こてい》する。

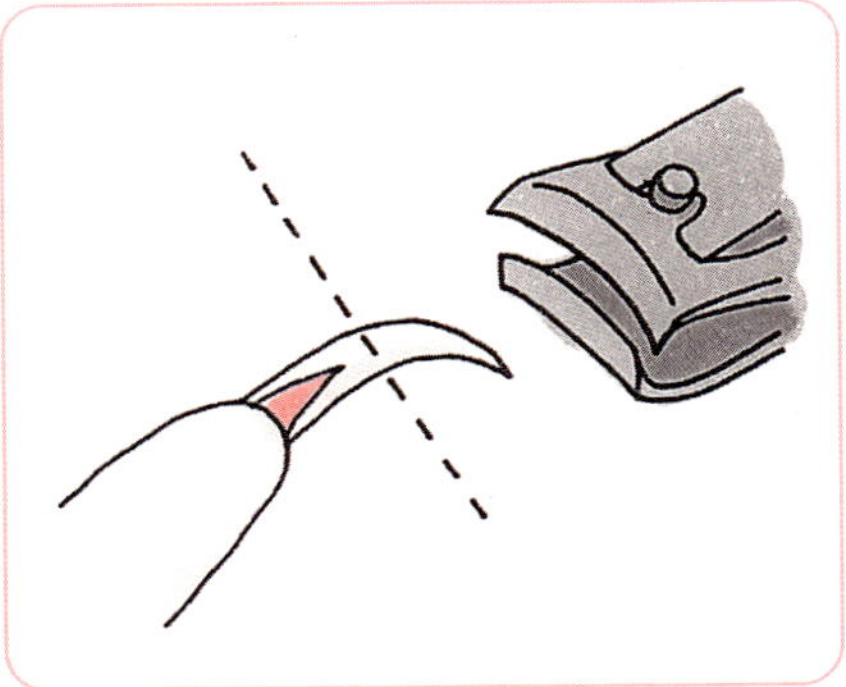

つめは、透《す》かしたときに見《み》える血管《けっかん》を傷《きず》つけないように、少《すこ》しずつ切《き》る。

毛《け》・皮膚《ひふ》

ハムスターの毛《け》は春《はる》と秋《あき》に生《は》えかわり、自分《じぶん》で毛《け》づくろいをして、きれいな毛《け》と皮膚《ひふ》を保《たも》っています。

しかし、意外《いがい》にハムスターの皮膚《ひふ》のトラブルは多《おお》く、抜《ぬ》け毛《げ》や発疹《ほっしん》、フケ、湿潤《しつじゅん》（べたべたする）などが見《み》られます。

これらの症状《しょうじょう》を早《はや》く見《み》つけるために、ときどきブラッシングをしてあげるとよいでしょう。やわらかい歯《は》ブラシやペット用《よう》ブラシで、毛並《けな》みに沿《そ》ってやさしくとかします。

もし、皮膚病《ひふびょう》の症状《しょうじょう》が見《み》つかったら、早《はや》めに病院《びょういん》へ連《つ》れていってください。また、からだに汚《よご》れがついたときは、タオルをぬるま湯《ゆ》でぬらしてしぼり、そっとふいてあげましょう。

コミュニケーションはどうとる？

犬《いぬ》のように従順《じゅうじゅん》なしつけはできなくても、「仲《なか》よし」になることは可能《かのう》です。愛情《あいじょう》をもってコミュニケーションをとっていれば、必《かなら》ずなつきます。

トイレのしつけはできる？

ハムスターはもともと、地面《じめん》の下《した》に寝室《しんしつ》、食堂《しょくどう》、倉庫《そうこ》、トイレなどをわけてつくって暮《く》らしています。とてもきれいずきなので、いつでもどこでもトイレをする、ということはありません。しかし、人間《にんげん》や犬《いぬ》や猫《ねこ》のように、必《かなら》ず決《き》まった一《ひと》つの場所《ばしょ》だけに徹底《てってい》することはできないと思《おも》ったほうがいいでしょう。

ハムスターによっては、季節《きせつ》がかわったりすると、トイレの場所《ばしょ》をかえる子《こ》もいます。また、おくびょうなハムスターは巣《す》の外《そと》が怖《こわ》くて、巣《す》箱《ばこ》のなかでトイレをすませてしまう場合《ばあい》もあるようです。

また、オシッコはいつも決《き》まった場所《ばしょ》にしても、ウンチはなかなか1カ所《しょ》というわけにはいかないようです。しばらく巣箱《すばこ》のなかにためこんでおいて、自分《じぶん》で巣《す》の外《そと》にポイポイと運《はこ》び出《だ》しているところなどもときどき見《み》かけます。食《た》べものの残《のこ》りを捨《す》てるときに、いっしょにそうじしてあげましょう。あまり神経質《しんけいしつ》にならずに、汚《よご》れた場所《ばしょ》をこまめにそうじするようにしてください。

ストレスなく、安心《あんしん》して暮《く》らせるなら、決《き》まった場所《ばしょ》でトイレができるよ。

ハムスターのお世話《せわ》

かみ癖《ぐせ》

たくさんの動物《どうぶつ》から逃《に》げる弱者《じゃくしゃ》のハムスターにとって、大《おお》きな生《い》きものは敵《てき》だと思《おも》いがちです。人間《にんげん》の手《て》もはじめは敵《てき》だと思《おも》い、必死《ひっし》に攻撃《こうげき》してくるのでしょう。これは、まだハムスターが怖《こわ》がっているためです。

あせらず時間《じかん》（1カ月《げつ》くらいは様子《ようす》を見《み》ましょう）をかけて、毎日少《まいにちすこ》しずつにおいを覚《おぼ》えてもらいましょう。毎日《まいにち》コミュニケーションをとっているうちに、ハムスターのほうからよってくるようになり、かむこともなくなります。

名前《なまえ》をよぶ

ハムスターは、基本的《きほんてき》に人間《にんげん》の言葉《ことば》はわかりません。「ごはんよ」と知《し》らせても、食《た》べものを見《み》せない限《かぎ》りよってくることはありません。

しかし、毎日名前《まいにちなまえ》をよんでいると、いつしか自分《じぶん》のことをよんでいるとわかるようになります。

名前《なまえ》をよんだとき、後《うし》ろ足《あし》で立《た》ち上《あ》がってキョロキョロとあたりを見回《みまわ》していたらチャンス。毎回同《まいかいおな》じ名前《なまえ》をよぶように気《き》をつけましょう。

また、ナッツが入《はい》ったふくろを振《ふ》ると、音《おと》に反応《はんのう》してこちらに走《はし》ってきたりもします。

しからない

巣箱《すばこ》に食《た》べものを運《はこ》んだり、両手《りょうて》を使《つか》って食《た》べものを食《た》べたり、とても器用《きよう》なハムスターを見《み》ていると、しつけができるような気《き》がしてしまいます。しかし、ハムスターは犬《いぬ》のように芸《げい》を覚《おぼ》えたり、いうことを聞《き》いたりはできません。

たとえばトイレをいろんな場所《ばしょ》でしてしまったり、手《て》をかんだりするのは、巣《す》の外《そと》を怖《こわ》がってストレスをためているときによくあることです。

かんだからといって、たたいたり放《ほう》り投《な》げてはいけません。安心感《あんしんかん》を与《あた》えてあげることが一番大切《いちばんたいせつ》です。

ケージの外《そと》に出《だ》す

運動《うんどう》ずきなハムスターにとって、ケージの外《そと》の散歩《さんぽ》は自由《じゆう》に動《うご》き回《まわ》れる楽《たの》しい時間《じかん》。部屋《へや》のなかの危険《きけん》をとりのぞいて、たっぷり遊《あそ》ばせてあげましょう。

部屋《へや》にはなすときのポイント

- 家具《かぐ》のすき間《ま》を本《ほん》などでふさぐ
- コンセントにはカバーをかける
- 人間《にんげん》の食《た》べものは片《かた》づける
- 花《はな》や観葉植物《かんようしょくぶつ》は届《とど》かないところに移《い》動《どう》する
- 犬《いぬ》や猫《ねこ》などを部屋《へや》から出《だ》す
- ゴキブリ・ネズミ駆除剤《くじょざい》をとりのぞく
- ビニール類《るい》は片《かた》づける
- 床《ゆか》までの長《なが》いカーテンはまとめておく

危険《きけん》から守《まも》る

ハムスターを部屋《へや》にはなすときには、危険《きけん》なものはすべて片《かた》づけましょう。ゴキブリ駆除剤《くじょざい》などにつかまって動物病院《どうぶつびょういん》に運《はこ》ばれることや、有毒《ゆうどく》な植物《しょくぶつ》を食《た》べて中毒《ちゅうどく》を起《お》こすこともあります。また、高《たか》いところから落《お》ちて、骨折《こっせつ》や内臓破裂《ないぞうはれつ》などの大《おお》ケガをすることもあります。

危険《きけん》なのはそれだけではありません。犬《いぬ》や猫《ねこ》などは部屋《へや》の外《そと》に出《だ》しておきましょう。

そして人間《にんげん》（自分《じぶん》）にも要注意《ようちゅうい》です。ハムスターは素早《すばや》く動《うご》き回《まわ》るので、踏《ふ》んでしまうこともあります。そこで、散歩中《さんぽちゅう》はできるだけすわって動《うご》かないようにするのが賢明《けんめい》です。もし立《た》っているのなら、すり足《あし》で歩《ある》きましょう。また、ドアの開閉《かいへい》でケガをしないように、散歩中《さんぽちゅう》はドアの外《そと》に札《ふだ》をつるして、だれも入《はい》ってこないようにしてください。

別荘《べっそう》をつくったら……

どんなに家具《かぐ》のすき間《ま》をふさいでも、タンスやベッドの裏側《うらがわ》に食《た》べものや巣材《すざい》を持《も》ちこんで別荘《べっそう》をつくることがあります。別荘自体《べっそうじたい》に問題《もんだい》はありませんが、食《た》べものが腐《くさ》ると大変《たいへん》です。残《のこ》った食《た》べものや巣材《すざい》は必《かなら》ず片《かた》づけましょう。

行方不明《ゆくえふめい》になったら……

部屋《へや》にはなすと、なかなか散歩《さんぽ》から帰《かえ》ってこない、どこにいるのかわからないということがしばしば起《お》こります。そんなときはまず部屋《へや》の外《そと》に出《で》ていないことを確認《かくにん》しましょう。耳《みみ》をそばだてて音《おと》を聞《き》き、懐中電灯《かいちゅうでんとう》を使《つか》ってすみずみを点検《てんけん》します。もし出《で》てこないようなら、食《た》べものを置《お》いて出《で》てくるのを待《ま》ちましょう。

お留《る》守《す》番《ばん》をしてもらうとき

旅行《りょこう》やお出《で》かけのとき、考《かんが》えなければいけないのがハムスターのこと。連《つ》れ回《まわ》すより、ハムスターに負担《ふたん》のかからないお留《る》守《す》番《ばん》がよいようです。

家《いえ》でお留《る》守《す》番《ばん》

ハムスターは1匹《ぴき》でいることに対《たい》して寂《さび》しいという気持《きも》ちはないので、お留《る》守《す》番《ばん》には何《なん》の問題《もんだい》もありません。かえって1、2日《にち》の短《みじか》い旅行《りょこう》の場合《ばあい》は、なれない移動《いどう》に付《つ》き合《あ》わせて体《たい》力《りょく》を消耗《しょうもう》させるより、家《いえ》にいるほうがハムスターにとっては幸《しあわ》せです。

食《た》べものは腐《くさ》りにくい固形《こけい》のペレットを日数分《にっすうぶん》入《い》れ、水《みず》も給水《きゅうすい》ボトルをいっぱいにしておけば大丈夫《だいじょうぶ》です。

気《き》をつけなくてはいけないのは、部屋《へや》の温度《おんど》と湿度《しつど》です。まずお留《る》守《す》番《ばん》をさせるのなら、春《はる》や秋《あき》の気候《きこう》の穏《おだ》やかな季節《きせつ》にしましょう。真夏《まなつ》や真冬《まふゆ》なら、部屋《へや》の温度《おんど》が一定《いってい》になるよう、できればエアコンを入《い》れたままにして出《で》かけるようにしてください。

ホテル・ペットシッター

長《なが》い旅行《りょこう》になるときや、真夏《まなつ》や真《ま》冬《ふゆ》でエアコンがない場合《ばあい》などは、ハムスターの健康《けんこう》のことを考《かんが》えて、動《どう》物《ぶつ》病院《びょういん》か質《しつ》のいいペットホテルに預《あず》けると安心《あんしん》です。犬《いぬ》や猫《ねこ》にくらべると、ハムスターを預《あず》かってくれる病院《びょういん》はあまり多《おお》くありません。旅行《りょこう》に出《で》る場合《ばあい》を想定《そうてい》し、あらかじめ獣《じゅう》医《い》さんや預《あず》けたことのある人《ひと》に相談《そうだん》して、調《しら》べておきましょう。その場《ば》合《あい》、預《あず》ける前《まえ》に1度《ど》病院《びょういん》で健康《けんこう》チェックを受《う》けてください。

また、家《いえ》にきてハムスターのお世《せ》話《わ》をしてくれるペットシッターを頼《たの》むのもよいでしょう。ただし、食《た》べものや散歩《さんぽ》についてのメモをきちんと書《か》いて渡《わた》すようにしてください。

知人《ちじん》に預《あず》ける

人《ひと》に預《あず》ける場合《ばあい》は、できるだけハムスターを飼《か》った経験《けいけん》のある人《ひと》にお願《ねが》いするのがよいでしょう。ハムスターについての知識《ちしき》がないと、思《おも》わぬ事故《じこ》が起《お》きないとも限《かぎ》りません。そして、犬《いぬ》や猫《ねこ》などほかの動物《どうぶつ》がいない家《いえ》が理想《りそう》です。ケージはいつも使用《しよう》しているものをそのまま預《あず》けます。食《た》べものやおやつもいつも食《た》べているものを渡《わた》しましょう。

もしもハムスターを飼《か》った経験《けいけん》のない人《ひと》に預《あず》けなければならないときは、部屋《へや》の温度《おんど》や湿度《しつど》、食《た》べものの分量《ぶんりょう》のほか、ケージの外《そと》には出《だ》さないなど、細《こま》かい注意点《ちゅういてん》をメモにして渡《わた》すようにします。また、エアコンの風《かぜ》があたる場所《ばしょ》やAV機器《きき》の近《ちか》くに置《お》かないようにお願《ねが》いしましょう。

> 3日《か》間《かん》、ハムスターのお世話《せわ》をお願《ねが》いします。食事《しょくじ》などは次《つぎ》のようにしてください。基本的《きほんてき》にケージから出《だ》さないでください。
>
> 食《た》べもの：ペレット1個《こ》
> ニンジン輪切《わぎ》り1枚《まい》
> 種子少量《しゅししょうりょう》
> ダイコンの葉《は》1枚《まい》
>
> 水《みず》：1日《にち》1回《かい》とりかえる
>
> 温度《おんど》：18〜25℃

ある日《ひ》のハムたん

1
…!♡
2
ハムたん、2日《か》ほど出《で》かけるけど、いい子《こ》にお留守番《るすばん》しててね
?
3
カリカリ
うう…
いや〜ん、寂《さび》しがってくれてるの？
カリッ
4
どうしよう…
ハムた〜ん おるすばん できる…?
ナッツくれ〜
…
ナッツ

旅行《りょこう》にいくことにした。

出《で》かけようとしたとたん、ケージをひっかいてあばれるハムたん。

本当《ほんとう》はケージの外《そと》にあるナッツのふくろに反応《はんのう》しているだけだった。

いっしょにお出《で》かけするとき

だいすきなハムスターといつでもいっしょにいたい！気持《きも》ちはわかりますが、無理《むり》な負担《ふたん》がかからないかどうかの判断《はんだん》は慎重《しんちょう》にしてください。

出《で》かけてもかまわないとき

ハムスターといっしょに旅行《りょこう》をするなら、まずは近《ちか》い場所《ばしょ》からはじめるのがいいでしょう。何度《なんど》も電車《でんしゃ》の乗《の》りかえが必要《ひつよう》な場所《ばしょ》や、海外旅行《かいがいりょこう》はおすすめできません。それよりは田《い》舎《なか》に車《くるま》で帰省《きせい》するなど、のんびりした旅《たび》のほうがハムスターのからだへの負担《ふたん》は少《すく》ないはずです。乗《の》りもの酔《よ》いで吐《は》くことはありませんが、温度《おんど》変化《へんか》に弱《よわ》いので、夏《なつ》は涼《すず》しく、冬《ふゆ》は暖《あたた》かい状態《じょうたい》を保《たも》ってあげてください。

ケージはプラスチックにして、においのついている床材《ゆかざい》を入《い》れておきます。回《まわ》し車《ぐるま》などの遊具《ゆうぐ》はケガの原《げん》因《いん》になるので、とりのぞきます。車《くるま》の場合《ばあい》は、適当《てきとう》に換気《かんき》をして、ときどき休憩《きゅうけい》をとりましょう。

さけたほうがいいとき

いつもいっしょにいてお世話《せわ》をしてあげたいと思《おも》っても、いっしょに連《つ》れていくことがハムスターの負担《ふたん》になることもあります。もし、旅行《りょこう》に出《で》るのが真夏《まなつ》で、交通渋滞《こうつうじゅうたい》に長《なが》い時間《じかん》巻《ま》きこまれてしまったら、ハムスターは弱《よわ》ってしまいます。よく考《かんが》えて決断《けつだん》してください。電車《でんしゃ》の場合《ばあい》でも、たくさんの乗《の》りかえが必要《ひつよう》なときにはお留守番《るすばん》してもらうほうがいいでしょう。

また、旅行《りょこう》に連《つ》れていくときの絶対《ぜったい》条件《じょうけん》は、ハムスターの健康状態《けんこうじょうたい》がよいとき。おなかをこわしていたり、目《め》やにや鼻水《はなみず》などの症状《しょうじょう》があるときは、動物病院《どうぶつびょういん》に預《あず》けましょう。妊娠《にんしん》しているときも同様《どうよう》です。

ある日《ひ》のハムたん

1

山奥《やまおく》にキャンプに出かけた。車《くるま》だからハムたんも連《つ》れていこう。

2

山《やま》に入《はい》るほど、道《みち》がでこぼこしてきた。ハムたん、震度《しんど》7を体験《たいけん》！

3

夜《よる》になって、たき火《び》を囲《かこ》んでごはんを食《た》べる。

4

アウトドアには、ハムスターを連《つ》れていくのはやめよう。

お出《で》かけのための準備《じゅんび》

プラスチックケースに、においのついている床材《ゆかざい》をじゅうぶんに入《い》れる。電車移動《でんしゃいどう》の場合《ばあい》、ケースは通気性《つうきせい》のあるふくろに入《い》れること。

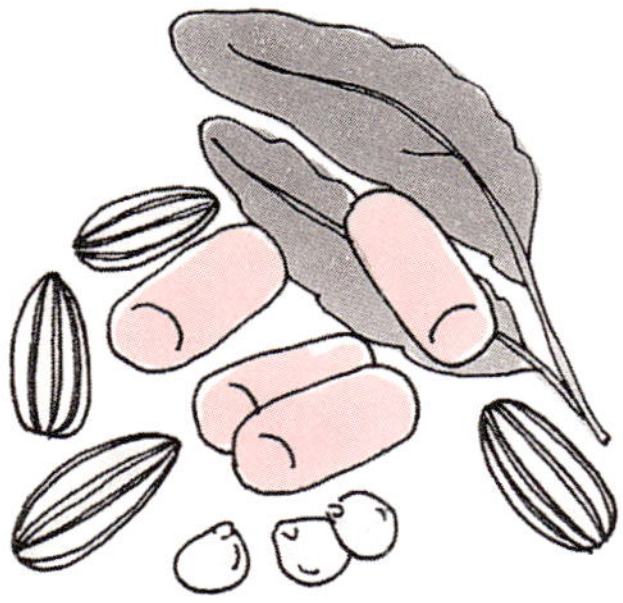

固形《こけい》のペレットや種子類《しゅしるい》などを適当《てきとう》に入れておく。短時間《たんじかん》の移動《いどう》なら、野菜《やさい》で水分補給《すいぶんほきゅう》ができる。

初夏《しょか》などの暑《あつ》い季節《きせつ》には保冷剤《ほれいざい》を、冬場《ふゆば》には使《つか》い捨《す》てカイロを使《つか》って、温度調節《おんどちょうせつ》をしてあげよう。

1年間《ねんかん》の過《す》ごさせ方《かた》

温度変化《おんどへんか》に敏感《びんかん》なハムスターにとって、日本《にほん》の四季《しき》はなかなかきびしいものです。季節《きせつ》に合《あ》った環境《かんきょう》をつくってあげましょう。

梅雨《つゆ》の注意点《ちゅういてん》

湿度《しつど》が苦手《にがて》なハムスターは日本《にほん》の梅雨《つゆ》が大嫌《だいきら》い。部屋《へや》の除湿対策《じょしつたいさく》は欠《か》かさずに。寒《さむ》くなるドライ機能《きのう》には気《き》をつけて。

苦手《にがて》な季節《きせつ》

真冬《まふゆ》や真夏《まなつ》はからだの機能《きのう》が低下《ていか》しがち。熱射病《ねっしゃびょう》にかかったり、体温《たいおん》が下《さ》がって仮死状態《かしじょうたい》になることも。室温《しつおん》は15～25℃に保《たも》って（理想《りそう》は20～24℃）。

子《こ》どもをつくりたい時期《じき》

子《こ》どもをつくるなら、春《はる》や秋《あき》の穏《おだ》やかな季節《きせつ》がいちばん。からだの弱《よわ》い赤《あか》ちゃんもこの季節《きせつ》なら病気《びょうき》になりにくいよ。

疑似冬眠《ぎじとうみん》について

室温《しつおん》が10℃以下《いか》になると自然《しぜん》にからだが冬眠《とうみん》してしまう。これは疑似冬眠《ぎじとうみん》といって土《つち》のなか以外《いがい》では危険《きけん》な状態《じょうたい》。もしからだが冷《つめ》たくなっていたら、心音《しんおん》を確《たし》かめすぐに温《あたた》めること。目《め》を覚《さ》まさなかったら病院《びょういん》に連《つ》れていこう。

春《はる》 3~5月《がつ》

温暖《おんだん》でもっとも過《す》ごしやすい季節《きせつ》

この季節《きせつ》は温度《おんど》も湿度《しつど》も安定《あんてい》していますが、明《あ》け方《がた》や夜《よる》は冷《ひ》えこむので室温《しつおん》に注意《ちゅうい》しましょう。ハムスターも元気《げんき》いっぱいなので、初心者《しょしんしゃ》はこの時期《じき》にハムスターを迎《むか》えれば安心《あんしん》。子《こ》どもをつくるにもいい季節《きせつ》です。

住《す》まい 朝晩《あさばん》と昼間《ひるま》の温度差《おんどさ》が出《で》やすい。暖《あたた》かくなったからといって、急《きゅう》に床材《ゆかざい》の量《りょう》をへらしたりしないように。

食事《しょくじ》 春《はる》の野菜《やさい》をふんだんにとり入《い》れると栄養《えいよう》がつく。たんぽぽ、おおばこなど春《はる》の野《や》草《そう》もあげよう。

夏《なつ》 6~8月《がつ》

高《たか》い温度《おんど》と湿度《しつど》で体力《たいりょく》を落《お》とさないよう注意《ちゅうい》！

温度《おんど》も湿度《しつど》も高《たか》くなり、ハムスターにとってはつらい季節《きせつ》です。エアコンなどで温度調節《おんどちょうせつ》をして体力《たいりょく》が消耗《しょうもう》しないよう気《き》をつけましょう。衛生面《えいせいめん》にも気《き》を配《くば》り、食《た》べ残《のこ》しの片《かた》づけやそうじはまめに、水《みず》は1日《にち》2回《かい》とりかえましょう。

住《す》まい カイロケースに入《い》れた乾燥剤《かんそうざい》を使用《しよう》したり、除湿器《じょしつき》を使《つか》って、ケージ内《ない》に湿気《しっけ》がこもらないようにする。そうじはまめにしたい。

食事《しょくじ》 食欲《しょくよく》が出るように新鮮《しんせん》な野菜《やさい》や果物《くだもの》を与《あた》えよう。腐《くさ》りやすいので、時間《じかん》がたった食《た》べものは新鮮《しんせん》なものにとりかえよう。

秋《あき》 9~11月《がつ》

体力《たいりょく》をたくわえて冬支度《ふゆじたく》を

気候《きこう》が穏《おだ》やかになってきて元気《げんき》をとり戻《もど》す季節《きせつ》です。朝晩《あさばん》は冷《ひ》えこむので、温度調節《おんどちょうせつ》には気《き》をつけます。食《た》べものをふやして体力《たいりょく》をつけておきましょう。子《こ》どもをつくるのにも向《む》いています。

住《す》まい 冬《ふゆ》に向《む》けて床材《ゆかざい》の量《りょう》をふやして暖《あたた》かくしてあげたい。細《こま》かく切《き》った毛糸《けいと》などを入《い》れると巣《す》づくりをはじめる。

食事《しょくじ》 冬《ふゆ》をのり切《き》る皮下脂肪《ひかしぼう》をつけるために、種子類《しゅしるい》の量《りょう》を少《すこ》しふやす。もちろん食《た》べすぎは禁物《きんもつ》。

冬《ふゆ》 12~2月《がつ》

疑似冬眠《ぎじとうみん》に気《き》をつける

自然界《しぜんかい》では冬眠《とうみん》をしてのり切《き》る季節《きせつ》なので、動《うご》きも鈍《にぶ》くなり起《お》きている時間《じかん》も少《すく》なくなります。この季節《きせつ》は室温《しつおん》を10℃以下《いか》に絶対《ぜったい》に下《さ》げないように気《き》をつけましょう。体力《たいりょく》が落《お》ちないようにすることが大事《だいじ》です。

住《す》まい エアコン、パネル・オイルヒーター、こたつ、ペットヒーターなどで夜中《よなか》から明《あ》け方《がた》もケージ内《ない》を保温《ほおん》したい。床材《ゆかざい》はたっぷりと。

食事《しょくじ》 他《た》の季節《きせつ》に比《くら》べると食欲《しょくよく》が落《お》ちるが、病気《びょうき》ではない。種子類《しゅしるい》を多《おお》めにして、野菜《やさい》、ペレットなどをあげる。

ハムスターの身《み》づくろい

●両手《りょうて》を使《つか》う

頭《あたま》や顔《かお》は両手《りょうて》を使《つか》って、きれいにするんだ。器用《きよう》でしょ。

●舌《した》を使《つか》う

おなかの毛《け》は、舌《した》でぺろぺろ。とにかくきれいずきなんだ。

●歯《は》を使《つか》う

歯《は》を使《つか》って毛《け》をすくんだ。クシのかわりをするんだよ。でも、ときにはブラシでもいいかな。

●人間《にんげん》(？)を使《つか》う

長毛種《ちょうもうしゅ》のハムスターは、飲《の》みこむ毛《け》の量《りょう》がどうしても多《おお》くなるから、できたらやわらかいブラシなどでそっと毛《け》をすいてね。1週間《しゅうかん》に1度《ど》くらいでOK だよ。

●後《うし》ろ足《あし》を使《つか》う

後《うし》ろ足《あし》で耳《みみ》のそうじをしたり、耳《みみ》の後《うし》ろをかいたりできるんだよ。

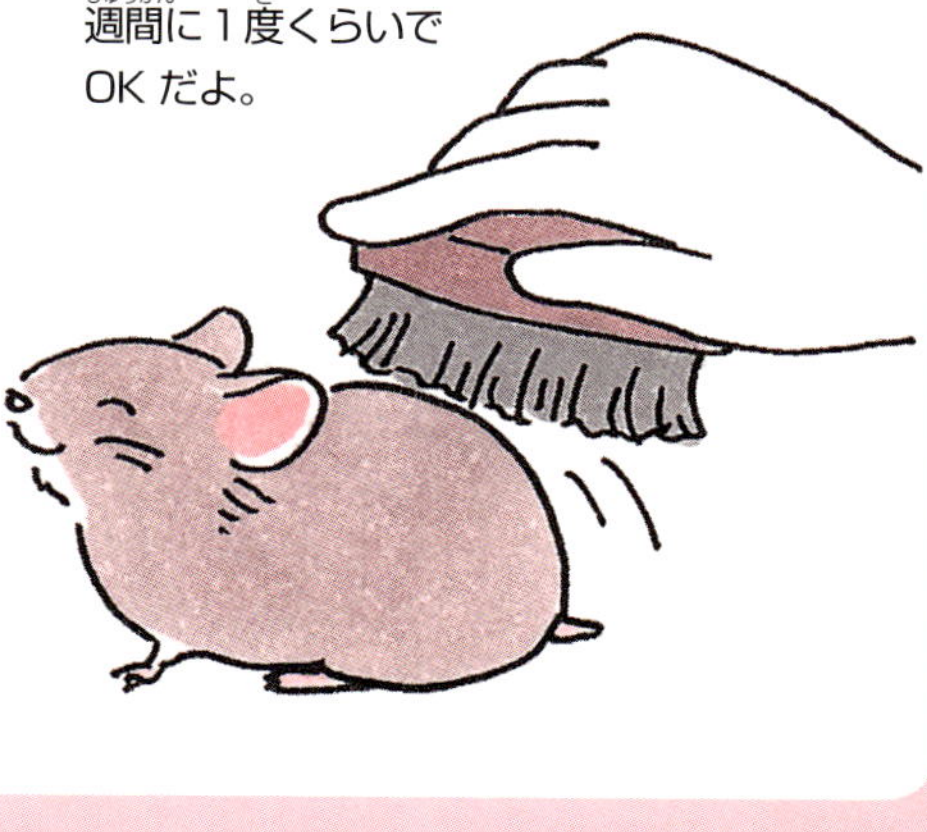

PART6

ハムスターの食《しょく》事《じ》

HAMSTER

主食《しゅしょく》は野菜《やさい》や草《くさ》、そしてペレット

ハムスターがだいすきなのは、ヒマワリなどの種《たね》。でも、毎日《まいにち》の食事《しょくじ》の中心《ちゅうしん》はペレットと野菜《やさい》。野菜《やさい》はまぜてあげましょう。食《た》べさせてはいけない野菜《やさい》に要注意《ようちゅうい》。

野菜《やさい》はよく洗《あら》い、水《みず》をふきとる

ハムスターは新鮮《しんせん》な野菜《やさい》がだいすきで、水分《すいぶん》の多《おお》いトマトやキュウリ、しゅう酸《さん》を含《ふく》むホウレンソウなどは別《べつ》として、たくさん食《た》べても問題《もんだい》ありません。

野菜《やさい》をあげるときは、よく洗《あら》って、ペーパータオルなどで水気《みずけ》をふきとりましょう。

野菜《やさい》

チンゲン菜《さい》、ニンジン（の葉《は》）、キャベツ、ブロッコリー、パセリ、カボチャ、キュウリ、セロリ、レタス、サツマイモ、カリフラワー、小松菜《こまつな》、サラダ菜《な》、大根《だいこん》の葉《は》、カブの葉《は》、ミツバ、トウモロコシ、ゆでた枝豆《えだまめ》など

野草《やそう》

タンポポの葉《は》、フキタンポポ、クローバー、ハコベ、ナズナ、イタリアングラス、ノコギリソウ、ヒレハリソウ、オーチャードグラス、オオバコ、アルファルファなど

もともとは草食《そうしょく》に近《ちか》い雑食性《ざっしょくせい》の動物《どうぶつ》

ハムスターはウサギのように完全《かんぜん》な草食動物《そうしょくどうぶつ》ではありませんが、どちらかというと草食《そうしょく》に近《ちか》い雑食性《ざっしょくせい》の動《どう》物《ぶつ》です。

何《なん》でもおいしそうに食《た》べるので、つい、いろいろあげてしまいがちですが、食事《しょくじ》のバランスがかたよらないよう注意《ちゅうい》しなければいけません。栄養《えいよう》のとりすぎは肥満《ひまん》のもとになり、肥満《ひまん》は病気《びょうき》をひき起《お》こしやすいからです。

食事《しょくじ》の基本《きほん》は、総合栄養食《そうごうえいようしょく》であるペレットと野菜《やさい》。この2つを主食《しゅしょく》として与《あた》えるようにしましょう。ゴールデンもドワーフも、体重《たいじゅう》の5〜10％の量《りょう》を目安《めやす》に与《あた》えます。

ペレットは固形《こけい》タイプがおすすめ！

ペレットフードは、タンパク質《しつ》16〜24％、脂肪《しぼう》3〜5％、繊維《せんい》12％といった栄養《えいよう》のバランスを考《かんが》えてつくられた総合栄養食品《そうごうえいようしょくひん》です。半生《はんなま》タイプ、固形《こけい》タイプ、かたい固形《こけい》タイプの3タイプがあり、それぞれ各《かく》メーカーから発売《はつばい》されています。

最近《さいきん》では、ハムスターも食物《しょくもつ》によるアレルギーがあるので、できるだけ添《てん》加物《かぶつ》の少《すく》ないものを選《えら》ぶ必要《ひつよう》があります。半生《はんなま》タイプはいたみやすく合成添《ごうせいてん》加物《かぶつ》が入《はい》っている場合《ばあい》が多《おお》いので、さけたほうがいいでしょう。ペレットは、歯《は》ののびすぎを防《ふせ》ぐ効果《こうか》もあるので、かたい固形《こけい》タイプがおすすめです。1日《にち》1個《こ》を目安《めやす》に、旬《しゅん》の野菜《やさい》や野草《やそう》と組《く》み合《あ》わせて、主食《しゅしょく》として与《あた》えます。

種子《しゅし》や果物《くだもの》、動物性《どうぶつせい》食品《しょくひん》も少《すこ》しあげよう

野生《やせい》のハムスターは野草類《やそうるい》、穀類《こくるい》、昆虫《こんちゅう》などから栄養《えいよう》をとります。野菜《やさい》とペレットだけでなく、いろいろな種類《しゅるい》の食《た》べものを少《すこ》しずつあげましょう。

高脂肪《こうしぼう》の種子《しゅし》はひかえめに

小鳥用《ことりよう》やハト用《よう》の皮付《かわつ》きのエサには、カロリーの少《すく》ない穀類《こくるい》がたくさん入《はい》っています。粒《つぶ》が小《ちい》さくて食《た》べやすく、栄養《えいよう》のバランスもよいので、毎日少《まいにちすこ》しずつあげるとよいでしょう。

ヒマワリの種《たね》をはじめとする種子《しゅし》類《るい》はハムスターの大好物《だいこうぶつ》です。しかし、とてもカロリーが高《たか》いので、1日《にち》2、3粒《つぶ》にしておかないと肥満《ひまん》のもとになります。

低脂肪《ていしぼう》

トウモロコシ

白《しろ》キビ

小鳥用《ことりよう》のエサ

まいろ

オオムギ

ベニバナ

高脂肪《こうしぼう》

ヒマワリの種《たね》

カボチャの種《たね》

ピーナッツ

ピスタチオ

アーモンド

クルミ

ときどき果物《くだもの》も

果物《くだもの》の甘《あま》みはハムスターもだいすきです。ビタミンCの補給《ほきゅう》にもなりますが、水分《すいぶん》が多《おお》いのであげすぎには注意《ちゅうい》してください。

リンゴ、イチゴ、バナナ、パイナップル、メロン、ブドウ、

動物性食品《どうぶつせいしょくひん》は2〜3日《にち》に1回《かい》

チーズ、ゆで卵《たまご》、煮干《にぼ》し、ヨーグルト、牛乳《ぎゅうにゅう》、肉《にく》、虫《むし》、

ハムスターのからだには動物性《どうぶつせい》タンパク質《しつ》が必要《ひつよう》です。ペレットにもタンパク質《しつ》が含《ふく》まれているので、全体《ぜんたい》の一割程度《いちわりていど》にして、あげすぎないようにしましょう。チーズや煮干《にぼ》しなどは塩分《えんぶん》の少《すく》ないものを選《えら》んで利用《りよう》します。

塩《しお》からくないものを少《すこ》しだけちょうだいね。

こんな食《た》べものや植物《しょくぶつ》はあげない！

人間《にんげん》にとってはおいしい食《た》べものも、ハムスターにとっては、命《いのち》にかかわるものが多《おお》くあります。何《なん》でもあげるのは絶対《ぜったい》にやめましょう。

野菜《やさい》・果物《くだもの》

長《なが》ネギ、玉《たま》ネギ、ニラ、生《なま》のマメ、アスパラガス、ジャガイモ(芽《め》と皮《かわ》)、ワラビ、トマト(葉《は》と茎《くき》)、アボガド、サクランボ、モモ(樹皮《じゅひ》と葉《は》)、ビワ、ウメ、ドングリ

嗜好品《しこうひん》

チョコレート、コーヒー、タバコ、ケーキ

有害《ゆうがい》な成分《せいぶん》をさける

ハムスターはどんなものでもおいしそうに食《た》べてしまいます。しかし、好物《こうぶつ》＝よい食《た》べものとは限《かぎ》りません。たとえば、ネギ類《るい》は赤血球《せっけっきゅう》をこわしてしまい腎不全《じんふぜん》をひき起《お》こします。アボガドはケイレン発作《ほっさ》を起《お》こすおそれがあります。モモ、ビワ、サクランボなども大量《たいりょう》に食《た》べると中毒症状《ちゅうどくしょうじょう》を起《お》こす危険《きけん》があるので気《き》をつけましょう。また、わたしたちがおやつとして食《た》べる嗜好品《しこうひん》は、糖分《とうぶん》や塩分《えんぶん》、カフェインなどが多《おお》く含《ふく》まれていて、ハムスターのからだにはよくありません。

そのほか、部屋《へや》に置《お》いてある観葉植物《かんようしょくぶつ》にも有害《ゆうがい》なものが多《おお》くあります。ハムスターに有害《ゆうがい》なものは、ほかの部屋《へや》に移《うつ》してください。

植《しょく》物《ぶつ》

アサガオ、チューリップ、アジサイ、ポトス、ヒヤシンス、ベゴニア、ベンジャミン、シクラメン、ホオズキ、ポインセチア、ゴムノキ、ツツジ、サツキ、スイセン、スズラン、クリスマスローズ、パンジー、アマリリス、セントポーリア、イチイ、イラクサ、イヌホウズキ、ウルシ、オシロイバナ、オトギリソウ、カジュマル、カポック、カラジュール、キョウチクトウ、ケシ、サトイモ、サフランモドキ、ジギタリス、シダ、シャクナゲ、ショウブ、ジンチョウゲ、セイヨウヒイラギ、チョウセンアサガオ、ツゲ、ディフェンバギア、デルフィニウム、ドクゼリ、ドクニンジン、トチノキ、トリカブト、ナツメグ、マロニエ、ヨモギギク、アセビ

決《き》まった時間《じかん》に食《た》べものをあげよう

「食《た》べものはあげたいときにあげる」というやり方《かた》をしていると、必要以上《ひつよういじょう》にたくさんあげてしまいます。時間《じかん》と量《りょう》を決《き》めて、習慣《しゅうかん》づけるようにしましょう。

夕方《ゆうがた》にあげよう

ハムスターは通常《つうじょう》、明《あ》け方《がた》に眠《ねむ》って夕方《ゆうがた》に起《お》きます。わたしたちが朝《あさ》、食《しょく》事《じ》を用意《ようい》しておいても食《た》べるのは夕方《ゆうがた》なので、野菜《やさい》はしなびてしまうし、夏場《なつば》は食《た》べものが悪《わる》くなってしまいます。新鮮《しんせん》な食《た》べものを食《た》べられるよう、夕方《ゆうがた》にあげるようにしましょう。

固形《こけい》ペレットなどの腐《くさ》りにくい食《た》べものは1日中《にちじゅう》エサ入《い》れに入《い》れておいてもかまいません。残《のこ》っても、次《つぎ》の日《ひ》には新《あたら》しいものにかえてあげます。

野菜《やさい》などは水分《すいぶん》をよくふきとってから与《あた》えます。朝《あさ》になっても残《のこ》っている場合《ばあい》はすぐに片《かた》づけましょう。

旅行《りょこう》などで食《た》べものがとりかえられない場合《ばあい》は、野菜《やさい》などはさけて、ペレットや種子類《しゅしるい》を入《い》れておきます。

与《あた》えすぎに注意《ちゅうい》

最近《さいきん》は、太《ふと》りすぎのハムスターをよく見《み》かけます。これは、狭《せま》いケージのなかであまり運動《うんどう》をしないのに、たくさんの食《た》べものを食《た》べているせいです。ハムスターやリスなどの小《しょう》動物《どうぶつ》はヒマワリやクルミばかりを食《た》べているというイメージがあるようで、つい種子類《しゅしるい》を主食《しゅしょく》として与《あた》えている人《ひと》もいます。野菜《やさい》などはたくさん与《あた》えてしまっても問題《もんだい》はありませんが、種子類《しゅしるい》は1日《にち》2、3粒程度《つぶていど》にひかえましょう。

また、動物性《どうぶつせい》タンパク質《しつ》がとれるチーズやヨーグルトなども、ハムスターが喜《よろこ》ぶので多《おお》くあげてしまいがちです。こうしたおやつは、2〜3日《にち》に1回《かい》を目安《めやす》にしてください。

ある日《ひ》のハムたん

1

やっぱり野菜《やさい》のほうがおいしいんだねえ
ショリ
ショリ

1日《にち》目《め》、ペレットといっしょに野菜《やさい》を入《い》れた。野菜《やさい》から先《さき》に食《た》べはじめる。

2

果物《くだもの》のほうが甘《あま》いもんねえ
シャリ
シャリ

2日《か》目《め》、ペレットといっしょに果物《くだもの》を入《い》れた。果物《くだもの》から先《さき》に食《た》べはじめる。

3

おっと、すごいくいつき！
ムシャムシャ
ゴリ
ゴリ

3日《か》連続《れんぞく》で種子《しゅし》とチーズをあげた。

4

あんまりぜいたくさせるとダメということが判明《はんめい》したね
うまいもんよこせ～！
コロ
コロ

6日《か》目《め》、ペレットをあげるとポイと捨《す》てて、ケージをガリガリひっかく。こういう実験《じっけん》はしないように。

主食《しゅしょく》

野菜《やさい》や草《くさ》(全体《ぜんたい》の5割程《わりてい》度《ど》)、ペレット、水《みず》

副食《ふくしょく》

種子《しゅし》
1日《にち》2～3粒《つぶ》

果物《くだもの》

水分《すいぶん》が多《おお》いので毎日《まいにち》あげない

動物性食品《どうぶつせいしょくひん》

2～3日《にち》に1回《かい》、少量《しょうりょう》与《あた》える

ハムスターに必要《ひつよう》な食事《しょくじ》の量《りょう》はゴールデン、ドワーフともに、体重《たいじゅう》の5～10％が目安《めやす》になります。たとえばゴールデンの場合《ばあい》、ペレット10～15g、小松菜《こまつな》3枚《まい》、ニンジン少々《しょうしょう》、ヒマワリの種《たね》5粒《つぶ》。ドワーフの場合《ばあい》、ペレット3～4g、小松菜《こまつな》1枚《まい》、ヒマワリの種《たね》2～3粒《つぶ》。あくまでもこれは目安《めやす》ですから、ハムスターの体重《たいじゅう》をはかりながら、適量《てきりょう》をさがすとよいでしょう。

太《ふと》らせすぎないよう注意《ちゅうい》しよう!

すきなものを食《た》べたいだけ食《た》べてしまったら、太《ふと》ったり病気《びょうき》になったりするのは人間《にんげん》といっしょ。かわいいからといって、えさを与《あた》えすぎないようにしましょう。

太《ふと》ると病気《びょうき》になりやすい

カロリーが高《たか》くてもおいしいものばかり食《た》べるのは、ハムスターにとってもうれしいことです。しかし、ケージのなかで暮《く》らしているため、運動不足《うんどうぶそく》にもなり太《ふと》ってしまいます。

肥満《ひまん》は病気《びょうき》をひき起《お》こすもと。太《ふと》りすぎると毛《け》づくろいがうまくできず不潔《ふけつ》になり、皮膚病《ひふびょう》になったり、素早《すばや》く動《うご》けなくなってケガをしたりします。また、心臓病《しんぞうびょう》や脂肪肝《しぼうかん》、糖《とう》尿病《にょうびょう》など、さまざまな病気《びょうき》にかかりやすくなるのです。メスの場合《ばあい》、赤《あか》ちゃんが産《う》めなくなることもあり、いいことは一《ひと》つもありません。

肥満《ひまん》になってからのダイエットよりも、はじめから、太《ふと》らせないような食事《しょくじ》を心《こころ》がけましょう。

ダイエット

ハムスターが太《ふと》りすぎてしまったら、ダイエットする必要《ひつよう》があります。しかしダイエット方法《ほうほう》をまちがえると、体力《たいりょく》が低下《ていか》して逆《ぎゃく》に病気《びょうき》になってしまうこともあります。獣医《じゅうい》さんに相談《そうだん》しながら、長《なが》い時間《じかん》をかけてゆっくりダイエットしましょう。

食事《しょくじ》を急《きゅう》に減《へ》らすのではなく、まずは高《こう》カロリーの種子類《しゅしるい》をやめること。ペレットまたは小動物用《しょうどうぶつよう》のダイエットペレットと野菜《やさい》を中心《ちゅうしん》とした食事《しょくじ》に切《き》りかえます。栄養不足《えいようぶそく》をおぎなうために獣医《じゅうい》さんからビタミン剤《ざい》などを出《だ》してもらいましょう。

食事療法《しょくじりょうほう》といっしょに運動《うんどう》もさせてください。散歩《さんぽ》の時間《じかん》を長《なが》くするだけで、だいぶ効果《こうか》が得《え》られます。

ハムスターの食事《しょくじ》

体重《たいじゅう》のはかり方《かた》

ハムスターの体重《たいじゅう》をはかるには、料理用《りょうりよう》のキッチンスケールを使《つか》います。デジタルのものが理想的《りそうてき》ですが、目盛《めも》りタイプでもかまいません。小《ちい》さな箱《はこ》などにハムスターを入《い》れると、はかりやすくなります。

肥満《ひまん》のチェック方法《ほうほう》

①おなかがまるく、ふくれている。
②手足《てあし》のつけ根《ね》の肉《にく》がたるんでいる。
③マリのようにまんまるなからだつきをしている。
④おなかや胸《むね》の毛《け》がうすくなっている。

肥満《ひまん》の予防法《よぼうほう》

①ヒマワリの種《たね》やピーナッツなど、カロリーの高《たか》い種子類《しゅしるい》は1日数粒《にちすうつぶ》に。
②食事《しょくじ》は1日《にち》1回《かい》、ペレットや野菜《やさい》を中心《ちゅうしん》にする。チーズや卵《たまご》などは2～3日《にち》に1回《かい》にする。
③1日《にち》30分程度《ぶんていど》、部屋《へや》のなかを散歩《さんぽ》させる。

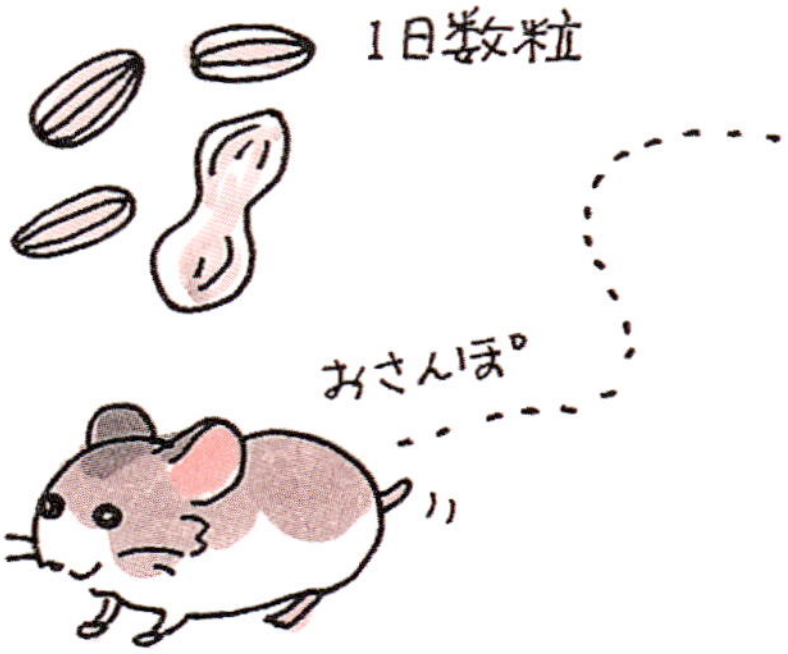

ハムスターは倹約家《けんやくか》？

食《た》べものを保存《ほぞん》する

すきな食《た》べものは巣《す》へ運《はこ》んでとっておくんだ。でも、おそうじのときに捨《す》てられちゃうんだけどね。

小食《しょうしょく》でも元気《げんき》！

野生《やせい》のハムスターは粗食《そしょく》だし、水《みず》もあまり飲《の》まないんだ。飼《か》われているぼくたちには、ごちそうはいらないけど、栄養《えいよう》バランスのいい食事《しょくじ》と、いつでも飲《の》める水《みず》をお願《ねが》い！

ウンチもときどき再利用《さいりよう》

ウンチをしながら、ときどき食《た》べてしまうのは、ぼくたちの習性《しゅうせい》なの。ビタミンBなどをとるためにやっているんだよ。

暗《くら》やみでも平気《へいき》

夜《よる》に明《あ》かりは必要《ひつよう》ないの。経済的《けいざいてき》でしょ(でも、昼間《ひるま》は部屋《へや》を明《あか》るくしておいてね)。

PART 7

ハムスターの健《けん》康《こう》チェック

HAMSTER

病《びょう》気《き》やケガから守《まも》ってあげよう

外敵《がいてき》の多いハムスターは病気《びょうき》になっても元気《げんき》なフリをしていて、症状《しょうじょう》を見《み》つけるのが遅《おそ》くなりがちです。毎《まい》日《にち》の健康《けんこう》チェックを忘《わす》れずに行《おこな》いましょう。

毎日《まいにち》のお世話《せわ》が大切《たいせつ》

わたしたちは健康《けんこう》のために、外《そと》から帰《かえ》ったら手《て》を洗《あら》ったり、偏食《へんしょく》をしないでなるべくたくさんの食品《しょくひん》をとるように心《こころ》がけています。ハムスターも、ふだんの生活習慣《せいかつしゅうかん》が健康《けんこう》でいられるかどうかのバロメーターになります。

病気《びょうき》の原因《げんいん》の一《ひと》つに、肥満《ひまん》があります。ヒマワリの種《たね》やチーズばかりあげずに、ペレットと野菜《やさい》を中心《ちゅうしん》にヘルシーな食事《しょくじ》を用意《ようい》してあげましょう。

生活環境《せいかつかんきょう》にも気《き》を配《くば》ることが大切《たいせつ》です。ケージは足《あし》や歯《は》を傷《きず》つけないようにガラスまたはアクリルのものを、床材《ゆかざい》はアレルギーを起《お》こしやすいスギやパインのチップではなく牧草《ぼくそう》を使用《しよう》します。ケージはまめにそうじし、細菌《さいきん》の繁殖《はんしょく》を防《ふせ》ぎましょう。

疲《つか》れさせすぎないで

家《いえ》に迎《むか》えたばかりのハムスターをかまいすぎて、衰弱《すいじゃく》させてしまうことがあります。小《ちい》さなハムスターはストレスに敏感《びんかん》です。ストレスがもとで免疫力《めんえきりょく》が低下《ていか》し、病気《びょうき》にかかりやすくなったり、脱毛《だつもう》したりします。

気《き》をつけたいのは、ケージ内《ない》に必要《ひつよう》以上《いじょう》に手《て》を入《い》れないということです。自分《じぶん》のなわばりであるケージをつねにひっかき回《まわ》すと、ハムスターは安心《あんしん》して暮《く》らせなくなります。遊《あそ》ぶときはケージの外《そと》に出《だ》しましょう。

また、ハムスターが年《とし》をとってきたら(生後《せいご》2年《ねん》)、やはりあまりかまうのはやめたほうがよいでしょう。人間《にんげん》と同《おな》じように目《め》や足《あし》が弱《よわ》くなっていますし、体力《たいりょく》も落《お》ちているのです。

HAMSTER

ハムスターの健康《けんこう》チェック

毛並《けな》み
毛《け》づやが悪《わる》くなっていないか、
抜《ぬ》け毛《げ》がないか

耳《みみ》
耳《みみ》がねていたり、耳《みみ》だれが
あったりしないか

しっぽ
しっぽがぬれて
いないか

目《め》
目《め》やにや涙《なみだ》が出《で》たり、
できものができていないか

鼻《はな》
鼻水《はなみず》が出《で》て
いないか

ウンチ（オシッコ）
ウンチは黒《くろ》くまるいか、
オシッコは淡黄色《たんおうしょく》か

つめ
つめはのびすぎて
いないか

皮膚《ひふ》
フケが出《で》ていたり、
しこりができたり
していないか

歯《は》
のびすぎたり、
損傷《そんしょう》していないか

●食欲《しょくよく》

食欲《しょくよく》が急《きゅう》に落《お》ちていないか、食《た》べられないものはないか、食事《しょくじ》の残《のこ》し具合《ぐあい》を確認《かくにん》する。

●動作《どうさ》

歩《ある》き方《かた》がふらついていたり、足《あし》をひきずったりしていないか観察《かんさつ》する。

●体重《たいじゅう》

急《きゅう》な体重《たいじゅう》の増減《ぞうげん》がないか、目《め》安《やす》体重《たいじゅう》を基準《きじゅん》にして太《ふと》りすぎていないかチェックする。

毎日健康《まいにちけんこう》チェック

ハムスターの病気《びょうき》は、あっという間《ま》に進行《しんこう》します。ふだんからよく観察《かんさつ》して、もし気《き》になるところを見《み》つけたら、すぐに動物病院《どうぶつびょういん》に連《つ》れていきましょう。毎日《まいにち》決《き》まった時間《じかん》に体重《たいじゅう》をはかり、軽《かる》くからだをさわって異常《いじょう》がないか確《たし》かめましょう。飼育日記《しいくにっき》をつけておくと便利《べんり》です。

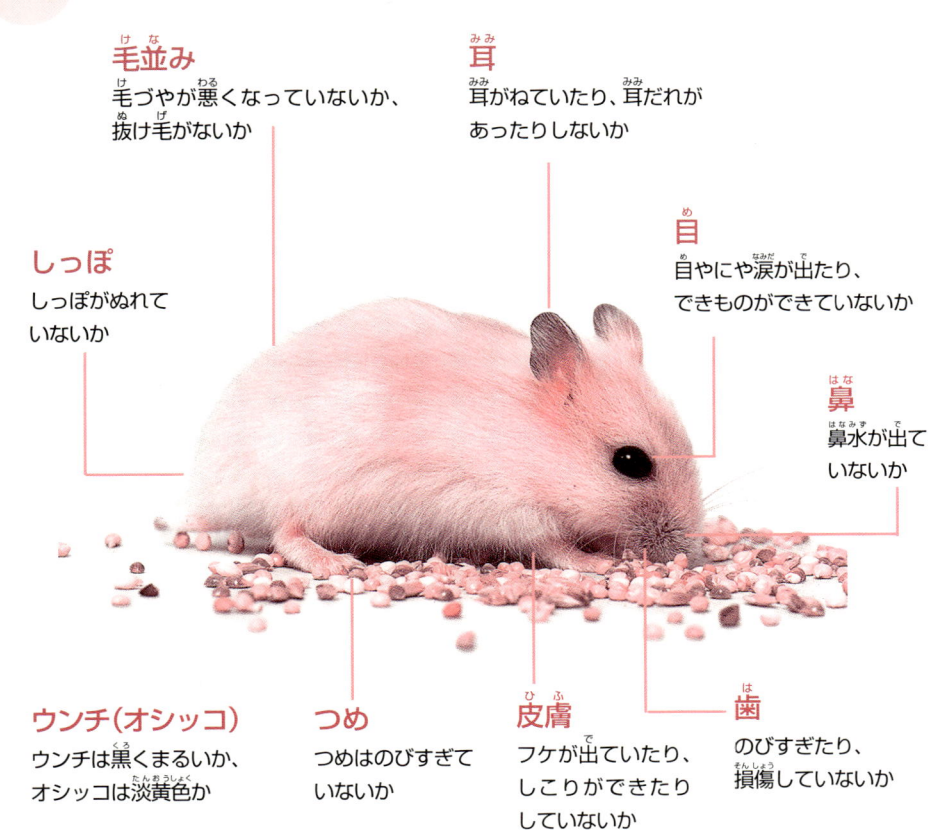

具合《ぐあい》が悪《わる》そうなときは…

ハムスターの具合《ぐあい》が悪《わる》くなったら、すぐに動物病院《どうぶつびょういん》へ連《つ》れていきましょう。自己診断《じこしんだん》はとても危険《きけん》です。

病院《びょういん》をさがしておこう

ハムスターが病気《びょうき》になったら、すぐ動物病院《どうぶつびょういん》に連《つ》れていきましょう。犬《いぬ》や猫《ねこ》にくらべると、小動物《しょうどうぶつ》を診察《しんさつ》してくれる動物病院《どうぶつびょういん》はまだまだ少《すく》ないので、事前《じぜん》に調《しら》べておく必要《ひつよう》があります。できるだけ近《ちか》くの病院《びょういん》がいいのですが、遠《とお》くにしかない場合《ばあい》は、交通《こうつう》の便《べん》をあらかじめ調《しら》べておくなどして、短時間《たんじかん》で通院《つういん》できる工夫《くふう》をしておきましょう。

治療費《ちりょうひ》は保険《ほけん》がきかないので、予《よ》想以上《そういじょう》にかかります。入院《にゅういん》や手術《しゅじゅつ》ともなれば何万円《なんまんえん》もかかることもあります。病気《びょうき》になったときのためにハムスター貯金《ちょきん》をしておくことをおすすめします。また、飼育日記《しいくにっき》があれば、病院《びょういん》にもっていきましょう。

連《つ》れていくときの注意点《ちゅういてん》

病院《びょういん》に行《い》くときには、まず電話《でんわ》をして、ハムスターの年齢《ねんれい》や性別《せいべつ》、具合《ぐあい》などを説明《せつめい》します。いつもお世話《せわ》をしている人《ひと》が病院《びょういん》に行《い》くのがいいでしょう。いつも使《つか》っているケージごともっていくのが理想的《りそうてき》です。無理《むり》なら移動《いどう》用《よう》キャリーににおいのついた床材《ゆかざい》と食《た》べものを入《い》れ、病状《びょうじょう》を判断《はんだん》してもらうためのウンチももっていきます。

移動《いどう》は揺《ゆ》れの少《すく》ない車《くるま》が最適《さいてき》です。移動中《いどうちゅう》は温度《おんど》に気《き》をつけてください。わたしたちにとってクーラーや暖房《だんぼう》のいらない温度《おんど》でも、からだの弱《よわ》ったハムスターにとってはつらい場合《ばあい》も多《おお》いのです。夏場《なつば》はクーラーを入《い》れ、冬場《ふゆば》は使《つか》い捨《す》てカイロなどを使《つか》って、ケージ内《ない》を温《あたた》めておきます。

食事《しょくじ》の与《あた》え方《かた》

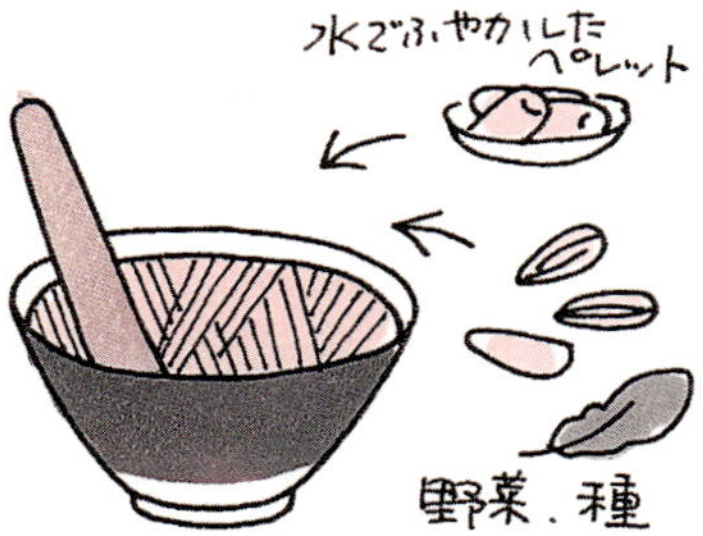

水《みず》でふやかしたペレット、すりつぶした野菜《やさい》、果物《くだもの》などをまぜる。

先《さき》を切《き》ったスポイトや、病院《びょういん》でもらった先《さき》を切《き》った注射器《ちゅうしゃき》などで少《すこ》しずつ、無理《むり》のないように口《くち》に入《い》れる。

薬《くすり》の飲《の》ませ方《かた》

手《て》のひらと中指《なかゆび》、薬指《くすりゆび》、小指《こゆび》でからだをそっとつつむように持《も》ち、親指《おやゆび》と人《ひと》さし指《ゆび》であごを軽《かる》くおさえ、スポイトなどで少《すこ》しずつ、無理《むり》のないように口元《くちもと》にたらす。

目薬《めぐすり》のさし方《かた》

手《て》のひらと中指《なかゆび》、薬指《くすりゆび》、小指《こゆび》でからだをそっとつつむように持《も》ち、親指《おやゆび》と人《ひと》さし指《ゆび》であごをかるくおさえ、目《め》の上《うえ》にたらす。皮膚《ひふ》がぬれたところは脱脂綿《だっしめん》でふきとる。

家《いえ》でのお世話《せわ》

病気《びょうき》のハムスターには、静《しず》かで清潔《せいけつ》な環境《かんきょう》を用意《ようい》してあげましょう。毎日《まいにち》、ウンチやオシッコのそうじをまめに行《おこな》い、冬場《ふゆば》でも1週間《しゅうかん》に1度《ど》は大《おお》そうじをしましょう。温度《おんど》は22〜24℃くらいに保《たも》つようにしましょう。冬場《ふゆば》はエアコンやオイルヒーター、パネルヒーター、こたつ、ペットヒーターなどを使《つか》い、ケージ内《ない》を温《あたた》めます。

食欲《しょくよく》がないときは、ペレットを水《みず》でふやかしたものに、すりつぶした野《や》菜《さい》や果物《くだもの》などをまぜたものを与《あた》えます。はちみつを入《い》れると、よく食《た》べる場合《ばあい》があります。生活環境《せいかつかんきょう》やお世話《せわ》の仕方《しかた》、食事《しょくじ》など、獣医《じゅうい》さんに相談《そうだん》するようにしましょう。

気《き》になる病気《びょうき》、ケガのこと

小《ちい》さなハムスターを守《まも》ってあげるのが飼《か》い主《ぬし》のつとめ。「いつもと違《ちが》う」と思《おも》ったら、病気《びょうき》やケガを疑《うたが》って、病院《びょういん》で適切《てきせつ》な治療《ちりょう》を受《う》けさせましょう。

おなか

下痢《げり》

症状《しょうじょう》

水《みず》っぽい便《べん》でしっぽがぬれた状態《じょうたい》になることから、別名《べつめい》ウェットテイルとよばれます。もしおしりがぬれているようなら下痢《げり》を疑《うたが》ったほうがいいでしょう。ふだんのウンチと違《ちが》い、茶色《ちゃいろ》で形《かたち》がくずれていて強《つよ》いにおいがあります。

原因《げんいん》

増殖性回腸炎《ぞうしょくせいかいちょうえん》(細菌感染《さいきんかんせん》)、ウイルス、カビ、寄生虫《きせいちゅう》ほか、食《しょく》あたり、環境《かんきょう》の変化《へんか》によるストレスなどがあります。下痢《げり》は脱水症状《だっすいしょうじょう》をひき起《お》こし、体力《たいりょく》を消耗《しょうもう》させます。死亡《しぼう》率《りつ》も高《たか》く怖《こわ》い病気《びょうき》です。

治療《ちりょう》

症状《しょうじょう》を軽《かる》く見《み》ると2～3日《にち》で死《し》んでしまうこともあるので、すぐに病院《びょういん》に連《つ》れていきましょう。基本的《きほんてき》に抗生物質《こうせいぶっしつ》で治療《ちりょう》しますが、脱水《だっすい》の場合《ばあい》は皮下補液《ひかほえき》をします。また寄生虫《きせいちゅう》の場合《ばあい》は、駆虫薬《くちゅうやく》で駆除《くじょ》します。

★予《よ》防《ぼう》のしかた

環境《かんきょう》の変化《へんか》やかまいすぎなどによる、ストレスを与《あた》えないようにすることが大切《たいせつ》です。また、不適切《ふてきせつ》な食事《しょくじ》は人間《にんげん》同様《どうよう》、おなかをこわす原因《げんいん》となります。水分《すいぶん》の多《おお》すぎる野菜《やさい》や果物《くだもの》、おやつのあげすぎなどに注意《ちゅうい》しましょう。

便秘《べんぴ》（腸閉塞《ちょうへいそく》）

症状《しょうじょう》

ウンチが出《で》づらくなり、おなかがふくらんできたり、食欲《しょくよく》がなくなってきたりします。腸閉塞《ちょうへいそく》の場合《ばあい》も便秘《べんぴ》の症状《しょうじょう》が見《み》られます。その後《ご》、食欲《しょくよく》が低下《ていか》して、だんだんやせてきます。

原因《げんいん》

トイレ用《よう》のかたまる砂《すな》、綿製《めんせい》の素材《そざい》、タオルなどを食《た》べてしまい、それらが消化《しょうか》されないまま、腸《ちょう》に異物《いぶつ》として詰《つ》まってしまう例《れい》が多《おお》くあります。

治療《ちりょう》

下剤《げざい》など消化器官《しょうかきかん》の運動《うんどう》を活発《かっぱつ》にする薬《くすり》を与《あた》えます。それでもよくならない場合《ばあい》は、手術《しゅじゅつ》をして原因《げんいん》の異物《いぶつ》をとりのぞきます。

★予防《よぼう》のしかた

ハムスターが食《た》べてしまったら困《こま》るものは、ケージ内《ない》に置《お》かないようにしましょう。冬用巣材《ふゆようすざい》として売《う》っている真《ま》綿《わた》やタオルなど、まちがった巣材《すざい》も使《つか》ってはいけません。また部屋《へや》のなかを散歩《さんぽ》させるときは、室内《しつない》をそうじして、ハムスターが飲《の》みこんだら危険《きけん》なものは片《かた》づけておきます。

腸重積脱《ちょうじゅうせきだつ》（直腸脱《ちょくちょうだつ》）

症状《しょうじょう》

おしりの穴《あな》から、反転《はんてん》した腸《ちょう》が飛《と》び出《で》てしまう病気《びょうき》です。下痢《げり》がつづいたあとに起《お》こることが多《おお》く、まれに下痢《げり》が治《なお》ってから起《お》こることもあります。早《はや》く手術《しゅじゅつ》をしないと危険《きけん》ですから、急《いそ》いで病院《びょういん》に連《つ》れていきましょう。症状《しょうじょう》を発見《はっけん》したときは安易《あんい》にさわってはいけません。

原因《げんいん》

下痢《げり》のしすぎで腸《ちょう》がひっくりかえって、おしりから飛《と》び出《で》てしまいます。

治療《ちりょう》

おなかを開《ひら》き腸《ちょう》をもとに戻《もど》す手術《しゅじゅつ》を行《おこな》います。また、直腸《ちょくちょう》だけが脱出《だっしゅつ》した場合《ばあい》は、肛門《こうもん》のまわりをぬう手術《しゅじゅつ》を行《おこな》います。

★予防《よぼう》のしかた

とにかく下痢《げり》をさせないことが大事《だいじ》です。適切《てきせつ》な食事《しょくじ》を与《あた》え、清潔《せいけつ》にしておくことを心《こころ》がけましょう。

皮膚《ひふ》

アレルギー性《せい》皮膚炎《ひふえん》

症状《しょうじょう》

おなか、わき腹《ばら》、胸《むね》などに、脱毛《だつもう》と発疹《ほっしん》ができます。症状《しょうじょう》は広範囲《こうはんい》にわたり、かゆみをともないます。人間《にんげん》のアトピー性《せい》皮膚炎《ひふえん》のようにべたべたしています。

原因《げんいん》

スギやパイン、シダなどの床材《ゆかざい》や、食《た》べものに対《たい》してアレルギー反応《はんのう》を示《しめ》すことがあります。たばこの煙《けむり》、香水《こうすい》、ワックスなどが原因《げんいん》のこともあります。肥満《ひまん》のハムスターに起《お》こりやすい病気《びょうき》です。

治療《ちりょう》

まずはアレルギーの原因《げんいん》になりやすい床《ゆか》材《ざい》をとりのぞきましょう。人工的《じんこうてき》なかおりの強《つよ》いものなどもなるべく遠《とお》ざけ、原因《げんいん》を探《さぐ》ります。症状《しょうじょう》が出《で》たら、ひどくならないうちに獣医《じゅうい》さんに皮膚炎《ひふえん》を治療《ちりょう》する薬《くすり》を調《ちょう》剤《ざい》してもらいましょう。

★予防《よぼう》のしかた

アレルギーを起《お》こさない牧草《ぼくそう》などの床《ゆか》材《ざい》を使用《しよう》するほうが安全《あんぜん》です。ケージもきれいにしておきましょう。食事《しょくじ》は栄養《えいよう》のバランスがかたよらないようにしましょう。

ニキビダニ症《しょう》

症状《しょうじょう》

ゴールデンの場合《ばあい》は、腰《こし》からおしりにかけて、ドワーフは首《くび》から背中《せなか》にかけて、炎《えん》症《しょう》を起《お》こしたり、脱毛《だつもう》したりします。かゆみがひどいと、ひっかいたりかんだりして、傷《きず》ができることもあります。

原因《げんいん》

ニキビダニがハムスターの皮膚《ひふ》に寄生《きせい》することで起《お》こります。からだの免疫力《めんえきりょく》が低《てい》下《か》したときに発病《はつびょう》します。赤《あか》ちゃんや妊娠《にんしん》中《ちゅう》のハムスターによく見《み》られます。

治療《ちりょう》

ダニを駆除《くじょ》する内服薬《ないふくやく》で治療《ちりょう》します。

★予防《よぼう》のしかた

ケージ内《ない》をつねに清潔《せいけつ》にしておくことが大切《たいせつ》。またハムスターの免疫力《めんえきりょく》が下《さ》がらないよう栄養《えいよう》バランスのよい食事《しょくじ》、ストレスのない環境《かんきょう》を整《ととの》えましょう。

歯《は》と口《くち》

ほおぶくろの炎症《えんしょう》

●症状《しょうじょう》

ほおぶくろのなかに傷《きず》がついたり、粘膜《ねんまく》に食《た》べものがくっついたりして、炎症《えんしょう》を起《お》こすことがあります。症状《しょうじょう》がすすむと、顔《かお》まではれてきます。腫瘍《しゅよう》ができることもあります。

●原因《げんいん》

甘《あま》いお菓子《かし》などをほおぶくろに入《い》れたままにしておくことで、食《た》べものが粘膜《ねんまく》にはりつき、とり出《だ》せなくなったり、とがった食《た》べものがほおを傷《きず》つけたりして起《お》こります。傷口《きずぐち》から細菌《さいきん》が入《はい》って化《か》のうします。

●治療《ちりょう》

うみがたまってしまったら、切開《せっかい》してうみを出《だ》します。定期的《ていきてき》に消毒《しょうどく》と抗生物質《こうせいぶっしつ》の投与《とうよ》を行《おこな》って、炎症《えんしょう》をおさえます。

★予防《よぼう》のしかた

ほおぶくろにくっつきやすい食《た》べものは与《あた》えないようにしましょう。ストレスがあると、ほおぶくろにいつまでも食《た》べものをためておくハムスターがいます。食《た》べものの腐敗《ふはい》も原因《げんいん》になるので、環境《かんきょう》を見直《みなお》してあげてください。

ほおぶくろ脱《だつ》

●症状《しょうじょう》

主《おも》にドワーフハムスターに見《み》られます。多《おお》くはほおぶくろが反転《はんてん》して脱出《だっしゅつ》するのではなく、ほおぶくろの入《い》り口《ぐち》のすぐ前《まえ》にある臭腺《しゅうせん》の周囲《しゅうい》が炎症《えんしょう》によって大《おお》きくはれて口《くち》の外《そと》に飛《と》び出《だ》してきます。ときにほおぶくろが反転《はんてん》したものも見《み》られます。

●原因《げんいん》

原因《げんいん》はよくわかっていませんが、細菌《さいきん》の感染《かんせん》によるものと考えられています。また、ほおぶくろに食《た》べものを入《い》れてなかなか出《だ》さない場合《ばあい》にそれが腐《くさ》り、その原因《げんいん》になっているといわれています。

●治療《ちりょう》

脱出《だっしゅつ》した部分《ぶぶん》のもとで切除《せつじょ》し、ぬい合《あ》わせる手術《しゅじゅつ》が必要《ひつよう》です。

★予防《よぼう》のしかた

ほおぶくろの炎症《えんしょう》の予防《よぼう》と同《おな》じです。

不正咬合《ふせいこうごう》

●症状《しょうじょう》

上下《じょうげ》の前歯《まえば》がうまくかみ合《あ》わずに歯《は》が削《けず》れなくなり、異常《いじょう》に歯《は》がのびつづけてしまう病気《びょうき》です。歯《は》がのびすぎると口《くち》のなかを傷《きず》つけたり、食《た》べものを食《た》べることができなくなります。

原因《げんいん》

金網《かなあみ》ケージをかじったり、歯《は》をひっかけてしまって、歯《は》が曲《ま》がってしまう例《れい》が多《おお》くあります。また、やわらかいものばかり食《た》べていると、うまく歯《は》が削《けず》れません。

治療《ちりょう》

定期的《ていきてき》にのびた歯《は》を切《き》ってもらうことが必要《ひつよう》になります。

★予防《よぼう》のしかた

歯《は》をひっかけることのない水槽《すいそう》のケージを利用《りよう》して、高《たか》い場所《ばしょ》からの落下《らっか》などに気《き》をつけます。また、かたいペレットやかじり木《ぎ》などを与《あた》えます。

歯周病《ししゅうびょう》

症状《しょうじょう》

歯《は》ぐき周辺《しゅうへん》に傷《きず》ができ、そこから細菌《さいきん》が入《はい》ることで歯肉炎《しにくえん》や口内炎《こうないえん》、歯随炎《しずいえん》などの病気《びょうき》にかかります。歯《は》ぐきからの出血《しゅっけつ》、異臭《いしゅう》などが起《お》こります。

原因《げんいん》

金網《かなあみ》ケージのかじりすぎによる唇《くちびる》や歯《は》ぐきの損傷《そんしょう》のほか、不衛生《ふえいせい》なケージ内《ない》から細菌《さいきん》がハムスターの口《くち》のなかに入《はい》って起《お》こることもあります。また、糖分《とうぶん》の多《おお》い食品《しょくひん》などによっても起《お》こります。

治療《ちりょう》

口内炎《こうないえん》などの軽《かる》い症状《しょうじょう》では抗生物質《こうせいぶっしつ》を与《あた》えて様子《ようす》を見《み》ます。うみが発生《はっせい》しているようなら、切開《せっかい》してうみを出《だ》します。歯《は》の損傷《そんしょう》がひどい場合《ばあい》は抜歯《ばっし》が行《おこな》われます。

★予防《よぼう》のしかた

歯《は》ぐきと歯《は》を傷《きず》つける原因《げんいん》となる金網《かなあみ》ケージを水槽《すいそう》タイプに切《き》りかえます。糖分《とうぶん》の多《おお》い食品《しょくひん》は与《あた》えないようにします。

耳《みみ》

外耳炎《がいじえん》

症状《しょうじょう》

耳《みみ》または耳《みみ》の周囲《しゅうい》を足《あし》でかいたり、頭《あたま》をさかんにふったり、耳《みみ》をかべに押《お》しつけるなどの動作《どうさ》が見《み》られます。耳《みみ》をよく観察《かんさつ》すると、耳《みみ》のなかが汚《よご》れていることがあります。

原因《げんいん》

細菌《さいきん》の感染《かんせん》によって起《お》こります。ケージ内《ない》を不潔《ふけつ》にしていることも、原因《げんいん》の一《ひと》つになります。

治療《ちりょう》

点耳薬《てんじやく》と抗生物質《こうせいぶっしつ》を投与《とうよ》して炎症《えんしょう》をおさえます。

★予防《よぼう》のしかた

ケージ内《ない》をこまめにそうじして清潔《せいけつ》に保《たも》ち、細菌《さいきん》の発育場所《はついくばしょ》にならないように気《き》をつけましょう。

胸《むね》

風邪《かぜ》

症状《しょうじょう》

はじめはくしゃみと鼻水《はなみず》、症状《しょうじょう》がすすんでくると気管支炎《きかんしえん》を起《お》こし呼吸困難《こきゅうこんなん》になることもあります。より悪化《あっか》すると肺炎《はいえん》もひき起《お》こします。食欲《しょくよく》がなくなり、ぐったりとして、40℃以上《いじょう》の発熱《はつねつ》が見《み》られます。

原因《げんいん》

カビやケージ内《ない》の不衛生《ふえいせい》による細菌感染《さいきんかんせん》、また、すき間風《まかぜ》や温度《おんど》の急激《きゅうげき》な低下《ていか》などでも風邪《かぜ》をひきます。インフルエンザウイルスは人《ひと》からハムスターにうつるので、インフルエンザにかかった人《ひと》のそばにケージを近《ちか》づけないようにしましょう。

治療《ちりょう》

応急処置《おうきゅうしょち》として、部屋《へや》を20～24℃の暖《あたた》かい状態《じょうたい》にして、ケージ内《ない》に使《つか》い捨《す》てカイロなどを置《お》いてあげます。暖《あたた》かくして病院《びょういん》に連《つ》れていき、抗生物質《こうせいぶっしつ》や抗《こう》ヒスタミン剤《ざい》、ビタミン剤《ざい》などの薬《くすり》をもらいます。

★予防《よぼう》のしかた

冬場《ふゆば》や季節《きせつ》のかわり目《め》には温度変化《おんどへんか》に気《き》をつけ、一定《いってい》の温度《おんど》を保《たも》つようにします。体力《たいりょく》をつけるために栄養《えいよう》バランスのよい食事《しょくじ》を与《あた》えましょう。ケージ内《ない》のそうじも大切《たいせつ》です。

心臓病《しんぞうびょう》（心不全《しんふぜん》）

症状《しょうじょう》

呼吸《こきゅう》が苦《くる》しそうになり、呼吸《こきゅう》のたびに背中《せなか》とおなかが大《おお》きくふくらみます。歯《は》ぐきや舌《した》が紫色《むらさきいろ》になるチアノーゼが見《み》られるようにもなります。

原因《げんいん》

老化《ろうか》にともなって心臓《しんぞう》の機能《きのう》が低下《ていか》し、心筋症《しんきんしょう》や心不全《しんふぜん》が起《お》こります。高血圧《こうけつあつ》になるような高《こう》カロリーの食事《しょくじ》も心臓《しんぞう》に負担《ふたん》をかける要因《よういん》になります。

治療《ちりょう》

強心剤《きょうしんざい》や血管拡張剤《けっかんかくちょうざい》など、心臓《しんぞう》の負担《ふたん》を減《へ》らす薬《くすり》を与《あた》えます。呼吸困難《こきゅうこんなん》の場合《ばあい》は酸素吸入《さんそきゅうにゅう》も行《おこな》います。

★予防《よぼう》のしかた

高血圧《こうけつあつ》にならないように、小《ちい》さいころから高《こう》カロリーな食品《しょくひん》はさけて、栄養《えいよう》バランスのよい食事《しょくじ》を与《あた》えます。発病《はつびょう》してしまったら、運動《うんどう》をひかえるために回《まわ》し車《ぐるま》ははずしましょう。脂肪《しぼう》の多《おお》い種子類《しゅしるい》やチーズなどをさけ、繊維質《せんいしつ》の多《おお》い野菜《やさい》を中心《ちゅうしん》にした食事《しょくじ》に切《き》りかえます。

目《め》

結膜炎《けつまくえん》・角膜炎《かくまくえん》

症状《しょうじょう》

涙《なみだ》や目《め》やにがたくさん出《で》ます。ハムスターが気《き》にして目《め》をひっかくので、放《ほう》っておくとどんどん症状《しょうじょう》がひどくなります。

原因《げんいん》

床材《ゆかざい》によってアレルギーを起《お》こしたり、細菌《さいきん》に感染《かんせん》したりして起《お》こります。また、トイレの砂《すな》やゴミやほこりが目《め》に入《はい》ってしまい、目《め》をこすっているうちに角膜《かくまく》や結膜《けつまく》に炎症《えんしょう》が起《お》こることもあります。

治療《ちりょう》

細菌感染《さいきんかんせん》を防《ふせ》ぐために、抗生物質《こうせいぶっしつ》の点眼薬《てんがんやく》をさします。また、症状《しょうじょう》が重《おも》い場合《ばあい》は内服薬《ないふくやく》が必要《ひつよう》です。

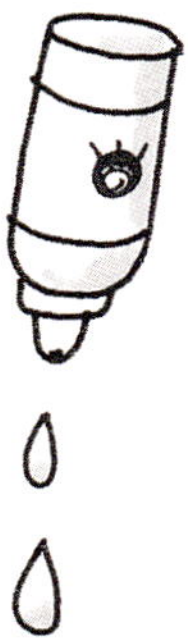

★予防《よぼう》のしかた

アレルギーの原因《げんいん》となる床材《ゆかざい》、トイレの砂《すな》などをケージからとりのぞきます。ケージ内《ない》のそうじの回数《かいすう》をふやして、熱湯消毒《ねっとうしょうどく》などもするようにしましょう。

白内障《はくないしょう》

症状《しょうじょう》

目《め》の水晶体《すいしょうたい》が真《ま》っ白《しろ》ににごって、視力《しりょく》が低下《ていか》したり目《め》やにが出《で》たりします。失明《しつめい》することもあるので、症状《しょうじょう》が見《み》られたらすぐに病院《びょういん》に連《つ》れていきましょう。

原因《げんいん》

一般的《いっぱんてき》に老化《ろうか》によって起《お》こる例《れい》が多《おお》いようですが、内臓疾患《ないぞうしっかん》や糖尿病《とうにょうびょう》などの病気《びょうき》、遺伝《いでん》などが原因《げんいん》になるといわれます。

治療《ちりょう》

ハムスターの白内障《はくないしょう》は治療法《ちりょうほう》がないとされています。もともと視力《しりょく》が悪《わる》く、においやひげで状況確認《じょうきょうかくにん》をしているので、失明《しつめい》してもそんなに問題《もんだい》はありません。

★予防《よぼう》のしかた

糖尿病《とうにょうびょう》や内臓疾患《ないぞうしっかん》にならないように、栄養《えいよう》バランスのとれた食事《しょくじ》を与《あた》えるようにして、運動《うんどう》もじゅうぶんさせましょう。老化《ろうか》を遅《おく》らせることができれば、白内障《はくないしょう》になる確率《かくりつ》も低《ひく》くなります。

眼球突出《がんきゅうとっしゅつ》

症状《しょうじょう》

まぶたから眼球《がんきゅう》が飛《と》び出《だ》してしまう状態《じょうたい》です。長《なが》い間《あいだ》そのままにしておくと眼球《がんきゅう》が乾《かわ》いて失明《しつめい》します。

原因《げんいん》

ハムスターの首筋《くびすじ》を長《なが》い間《あいだ》つかんでいると、興奮状態《こうふんじょうたい》になり眼球《がんきゅう》が飛《と》び出《だ》します。また、結膜《けつまく》にうみがたまると眼球《がんきゅう》が押《お》し出《だ》されてしまうことがあります。

治療《ちりょう》

うみによる場合《ばあい》は手術《しゅじゅつ》をして原因《げんいん》となるうみを出《だ》す必要《ひつよう》があります。眼球《がんきゅう》が乾《かわ》いてしまったときは人工涙液《じんこうるいえき》の点眼《てんがん》で乾燥《かんそう》を防《ふせ》ぎ、また抗生物質《こうせいぶっしつ》で感染《かんせん》を防《ふせ》ぎます。

★予防《よぼう》のしかた

細菌《さいきん》が目《め》に入《はい》らないようケージ内《ない》を清潔《せいけつ》にしておきます。眼球《がんきゅう》にくっつくようなトイレの砂《すな》や床材《ゆかざい》は使用《しよう》しないこと。外傷《がいしょう》が原因《げんいん》になることもあるので、高所《こうしょ》からの落下《らっか》などに気《き》をつけます。

ケガ

骨折《こっせつ》・ねんざ

●症状《しょうじょう》

足《あし》が曲《ま》がってしまったり、部分的《ぶぶんてき》にはれ上《あ》がってしまいます。歩《ある》き方《かた》もぎこちなくなります。背骨《せぼね》の骨折《こっせつ》は下半身《かはんしん》まひや内臓《ないぞう》疾患《しっかん》をひき起《お》こします。また、死《し》にいたることもめずらしくありません。

●原因《げんいん》

金網《かなあみ》ケージや回《まわ》し車《ぐるま》に足《あし》をはさんだり、ひっかけたりして骨折《こっせつ》するケースが多《おお》いようです。金網《かなあみ》ケージの天井《てんじょう》やはしごなど、高《たか》い場所《ばしょ》からの落下《らっか》、また人《ひと》に踏《ふ》まれることもあります。

●治療《ちりょう》

ねんざには炎症《えんしょう》をおさえる薬《くすり》を与《あた》えます。骨折《こっせつ》では内科的《ないかてき》に骨《ほね》がつくのを待《ま》つか、骨《ほね》をつなぐ手術《しゅじゅつ》をするか、場合《ばあい》によっては足《あし》を切断《せつだん》しなければならないときもあります。内科的《ないかてき》治療《ちりょう》では一般《いっぱん》に曲《ま》がった状態《じょうたい》で骨《ほね》がつきますが、とくに不自由《ふじゆう》はしません。また、足《あし》を切断《せつだん》してもじょうずに使《つか》うので、生活《せいかつ》に支障《ししょう》が出ることはほとんどありません。

★予防《よぼう》のしかた

金網《かなあみ》ケージを水槽《すいそう》タイプにして、回《まわ》し車《ぐるま》はすき間《ま》をうめましょう。また、ハムスターが散歩《さんぽ》している間《あいだ》は動《うご》き回《まわ》らずに、危険《きけん》な場所《ばしょ》に行《い》かないようによく観察《かんさつ》します。

やけど

●症状《しょうじょう》

皮膚《ひふ》が赤《あか》くなって炎症《えんしょう》を起《お》こします。全身《ぜんしん》やけどは生死《せいし》にかかわるので、動物病院《どうぶつびょういん》に連《つ》れていきましょう。

●原因《げんいん》

部屋《へや》を散歩中《さんぽちゅう》にお湯《ゆ》のなかに落《お》ちたり、ストーブにさわってしまったり、原因《げんいん》はいろいろ考《かんが》えられます。どれも人間《にんげん》の不注意《ふちゅうい》によるものなので、防《ふせ》ぐことができます。

治療《ちりょう》

まずは応急処置《おうきゅうしょち》として急《いそ》いで冷《ひ》やしましょう。その後《ご》、動物病院《どうぶつびょういん》に連《つ》れていきます。抗生物質《こうせいぶっしつ》を与《あた》え、やけどをした患部《かんぶ》がなめられないところであれば、塗《ぬ》り薬《ぐすり》もあわせて使《つか》います。

★予防《よぼう》のしかた

ハムスターのような小《ちい》さな動物《どうぶつ》を飼《か》う場《ば》合《あい》、できる限《かぎ》り危険《きけん》なものは排除《はいじょ》しておくことが大切《たいせつ》です。散歩《さんぽ》させる場所《ばしょ》はものの少《すく》ない部屋《へや》を選《えら》び、台所《だいどころ》などの火《ひ》や水《みず》がある場所《ばしょ》はさけるべきです。

外傷《がいしょう》

症状《しょうじょう》

皮膚《ひふ》がめくれたり、切《き》れたりします。猫《ねこ》や犬《いぬ》に攻撃《こうげき》されて傷《きず》を負《お》った場合《ばあい》は、内臓《ないぞう》まで傷《きず》ついていることがあるので、動物病《どうぶつびょう》院《いん》で診《み》てもらいましょう。

原因《げんいん》

一《ひと》つのケージで複数飼《ふくすうが》いをしていると、相手《あいて》のつめや歯《は》で傷《きず》つくことがあります。また、金網《かなあみ》ケージの出《で》っ張《ば》りにからだをひっかけてしまうこともあります。

治療《ちりょう》

ハムスターは傷口《きずぐち》がすぐに閉《と》じてしまうので急《いそ》いで生理食塩水《せいりしょくえんすい》で傷口《きずぐち》を洗《あら》い、消毒《しょうどく》をします。その後《ご》、抗生物質《こうせいぶっしつ》を与《あた》えて細菌《さいきん》感染《かんせん》を防《ふせ》ぎます。内臓《ないぞう》への傷《きず》が疑《うたが》われる場《ば》合《あい》は、治療《ちりょう》が困難《こんなん》なこともあります。

★予防《よぼう》のしかた

ジャンガリアンなどは複数飼《ふくすうが》いができるといわれますが、相性《あいしょう》が悪《わる》いと共《とも》ぐいをすることもあります。ケンカが多《おお》いようなら、別《べつ》のケージで飼《か》うようにしましょう。ハムスターのいる部屋《へや》にはほかの動物《どうぶつ》は入《い》れないようにします。

泌尿器《ひにょうき》

ぼうこう炎《えん》

症状《しょうじょう》

血液《けつえき》のまじった赤《あか》やオレンジのオシッコをします。オシッコの回数《かいすう》や量《りょう》がふえ、陰《いん》部《ぶ》がつねにぬれている状態《じょうたい》になります。

原因《げんいん》

からだの免疫力《めんえきりょく》が低下《ていか》しているとき、ぼうこうに細菌《さいきん》が入《はい》って起《お》こります。高齢《こうれい》になってからの腎臓障害《じんぞうしょうがい》も原因《げんいん》になります。

治療《ちりょう》

抗生物質《こうせいぶっしつ》を与《あた》えます。

★予防《よぼう》のしかた

栄養《えいよう》のバランスがとれた食事《しょくじ》を与《あた》え、からだの抵抗力《ていこうりょく》を高《たか》めておきましょう。また感染《かんせん》のもとになるような細菌《さいきん》をよせつけないよう、ケージ内《ない》はこまめにそうじしましょう。

ぼうこう結石《けっせき》

症状《しょうじょう》

血尿《けつにょう》による貧血《ひんけつ》や体重《たいじゅう》の減少《げんしょう》が起《お》こります。オシッコが出《で》にくくなるため、いきみなども見《み》られるようになります。おなかをさわられるのを嫌《いや》がる場合《ばあい》もあります。

原因《げんいん》

カルシウムなどの余分《よぶん》な成分《せいぶん》がぼうこうにたまり、結石《けっせき》ができます。細菌感染《さいきんかんせん》による炎症《えんしょう》なども原因《げんいん》になります。

治療《ちりょう》

切開手術《せっかいしゅじゅつ》をして結石《けっせき》をとりのぞきます。手術後《しゅじゅつご》は野菜《やさい》や果物《くだもの》を多《おお》めに与《あた》えて、オシッコの量《りょう》をふやすようにします。

★予防《よぼう》のしかた

結石《けっせき》ができやすいカルシウム入《い》りのエサをあまり与《あた》えないようにします。鳥《とり》用《よう》の塩石《えんせき》はおすすめできません。再発《さいはつ》の多《おお》い病気《びょうき》なので、定期的《ていきてき》にオシッコの検査《けんさ》をしてもらいましょう。

その他《た》

卵巣子宮疾患《らんそうしきゅうしっかん》

症状《しょうじょう》

メスの生殖器《せいしょくき》に炎症《えんしょう》が起《お》きて、出血《しゅっけつ》したり、うみが出《で》たりします。脱毛《だつもう》や体重《たいじゅう》の減《げん》少《しょう》、貧血《ひんけつ》などの症状《しょうじょう》も見《み》られます。

原因《げんいん》

ホルモンバランスの異常《いじょう》が原因《げんいん》となるほか、細菌《さいきん》に感染《かんせん》した場合《ばあい》に起《お》こります。出《しゅっ》産《さん》を何度《なんど》も繰《く》り返《かえ》した高齢《こうれい》のハムスターがかかりやすくなります。

治療《ちりょう》

抗生物質《こうせいぶっしつ》で炎症《えんしょう》をおさえます。子宮《しきゅう》や卵《らん》巣《そう》を手術《しゅじゅつ》でとりのぞく場合《ばあい》もあります。

★予防《よぼう》のしかた

予防《よぼう》は難《むずか》しい病気《びょうき》ですが、免疫力《めんえきりょく》が低《てい》下《か》しないように、栄養《えいよう》バランスのよい食事《しょくじ》と運動《うんどう》を心《こころ》がけてください。

腫瘍《しゅよう》・膿瘍《のうよう》

症状《しょうじょう》

皮膚《ひふ》の内側《うちがわ》などにしこりのようなものがあらわれます。コリコリしていれば腫瘍《しゅよう》、プヨプヨしていれば膿瘍《のうよう》が疑《うたが》われます。

原因《げんいん》

カロリーやタンパク質《しつ》のとりすぎ、ホルモンバランス、ウイルス、細菌感染《さいきんかんせん》など、いろいろなケースが考《かんが》えられます。

治療《ちりょう》

膿瘍《のうよう》であれば抗生物質《こうせいぶっしつ》を与《あた》えたり、手術《しゅじゅつ》で切除《せつじょ》します。腫瘍《しゅよう》であれば、できるだけはやく切除《せつじょ》します。切除《せつじょ》できないものや切除《せつじょ》しても再発《さいはつ》するものは、抗《こう》がん剤《ざい》を与《あた》えてがんの進行《しんこう》を遅《おく》らせる治療《ちりょう》をします。

★予防《よぼう》のしかた

膿瘍《のうよう》は、外傷《がいしょう》をつくらないようにすることで防《ふせ》ぎます。腫瘍《しゅよう》は予防《よぼう》が難《むずか》しいので、早期発見《そうきはっけん》を心《こころ》がけ、小《ちい》さいしこりでもすぐに病院《びょういん》に行《い》くようにします。

肝臓病《かんぞうびょう》（肝炎《かんえん》・肝不全《かんふぜん》）

症状《しょうじょう》

食欲《しょくよく》の低下《ていか》、下痢《げり》、体重《たいじゅう》の減少《げんしょう》のほか、進《しん》行《こう》する主瘤《しゅりゅう》や腹水《ふくすい》でおなかが膨張《ぼうちょう》してきます。黄疸《おうだん》などの症状《しょうじょう》が出《で》ることもあります。

原因《げんいん》

細菌《さいきん》やウイルスの感染《かんせん》によるものが多《おお》いとされています。またストレスや食事《しょくじ》の内《ない》容《よう》などが原因《げんいん》になることもあります。

治療《ちりょう》

抗生物質《こうせいぶっしつ》や強肝剤《きょうかんざい》を与《あた》えます。治療《ちりょう》と同《どう》時《じ》に食事療法《しょくじりょうほう》も並行《へいこう》して行《おこな》います。

★予防《よぼう》のしかた

細菌《さいきん》のない清潔《せいけつ》なケージを保《たも》ち、栄養《えいよう》バランスのよい食事《しょくじ》を与《あた》えます。

腎臓病《じんぞうびょう》（腎不全《じんふぜん》）

症状《しょうじょう》

食欲《しょくよく》の低下《ていか》、血尿《けつにょう》のほか、からだがむくんでくるのが特徴《とくちょう》です。水《みず》を飲《の》む量《りょう》がふえたり、オシッコの回数《かいすう》がふえた場合《ばあい》も腎臓《じんぞう》障害《しょうがい》の疑《うたが》いがあります。

原因《げんいん》

ハムスターの老化《ろうか》にともなって発生《はっせい》する病気《びょうき》です。ウイルスのほか、タンパク質《しつ》や塩分《えんぶん》の多《おお》い食事《しょくじ》などが原因《げんいん》と考《かんが》えられます。

治療《ちりょう》

補液《ほえき》で水分《すいぶん》をじゅうぶんに補給《ほきゅう》して、からだのなかの老廃物《ろうはいぶつ》を外《そと》に排《はい》せつさせます。同時《どうじ》に食事療法《しょくじりょうほう》も行《おこな》います。

★予防《よぼう》のしかた

ふだんからタンパク質《しつ》や塩分《えんぶん》の多《おお》い食《しょく》品《ひん》はさけて、野菜《やさい》を中心《ちゅうしん》とした食事《しょくじ》を与《あた》えましょう。新鮮《しんせん》な水《みず》を毎日用意《まいにちようい》して、からだのなかをきれいにしてあげることも重要《じゅうよう》です。

熱射病《ねっしゃびょう》・日射病《にっしゃびょう》

症状《しょうじょう》

ぐったりとして呼吸《こきゅう》が荒《あら》くなります。神《しん》経《けい》にも異常《いじょう》が出《で》て、頭《あたま》をふらふらさせながら歩《ある》きます。早《はや》く治療《ちりょう》しないと脳《のう》や心臓《しんぞう》が破壊《はかい》されて命《いのち》を落《お》とします。

原因《げんいん》

閉《し》め切《き》った暑《あつ》い室内《しつない》や、真夏《まなつ》の直射日光《ちょくしゃにっこう》があたる場所《ばしょ》にケージを置《お》いておくと起《お》こります。

治療《ちりょう》

冷風《れいふう》や氷水《こおりみず》などでからだを冷《ひ》やし、酸素《さんそ》吸入《きゅうにゅう》を行《おこな》います。脱水症状《だっすいしょうじょう》があれば、補液《ほえき》をします。

★予防《よぼう》のしかた

26℃以上《いじょう》の、空気《くうき》が密封《みっぷう》された状態《じょうたい》に置《お》かないことです。30℃を超《こ》えると短《みじか》い時間《じかん》でも熱射病《ねっしゃびょう》になることがあります。適度《てきど》に風通《かぜとお》しのよい、25℃以下《いか》の場所《ばしょ》で過《す》ごさせるようにしましょう。

疑《ぎ》似《じ》冬《とう》眠《みん》

症状《しょうじょう》

からだが冬眠《とうみん》のために温度《おんど》を下《さ》げてしまい、冷《つめ》たくなって死《し》んでしまったような状《じょう》態《たい》です。そのまま時間《じかん》がたつと、本当《ほんとう》に死《し》んでしまうので危険《きけん》です。とくに、病気《びょうき》などでからだが弱《よわ》っている場合《ばあい》には、回復《かいふく》がのぞめないことがあります。

原因《げんいん》

部屋《へや》の温度《おんど》が5℃以下《いか》に急激《きゅうげき》に下《さ》がってしまい、ハムスターが冬眠時期《とうみんじき》と勘違《かんちが》いすることで起《お》こります。誤《あやま》った飼育下《しいくか》で生《しょう》じる症状《しょうじょう》です。

治療《ちりょう》

20~24℃の場所《ばしょ》に移《うつ》し、温《あたた》めることが大切《たいせつ》です。手《て》のなかに入《い》れて温《あたた》めることも一《ひと》つの方法《ほうほう》です。からだが動《うご》きだしたら、ブドウ糖《とう》を少量《しょうりょう》与《あた》えます。

★予防《よぼう》のしかた

部屋《へや》の温度《おんど》を20~24℃に保《たも》つようにします。エアコンのついていない明《あ》け方《がた》でも、パネルヒーターやオイルヒーター、こたつ、ペットヒーター、カイロケースに入《い》れた使《つか》い捨《す》てカイロなどを使用《しよう》して、ハムスターを寒《さむ》さにさらさないよう気《き》をつけましょう。

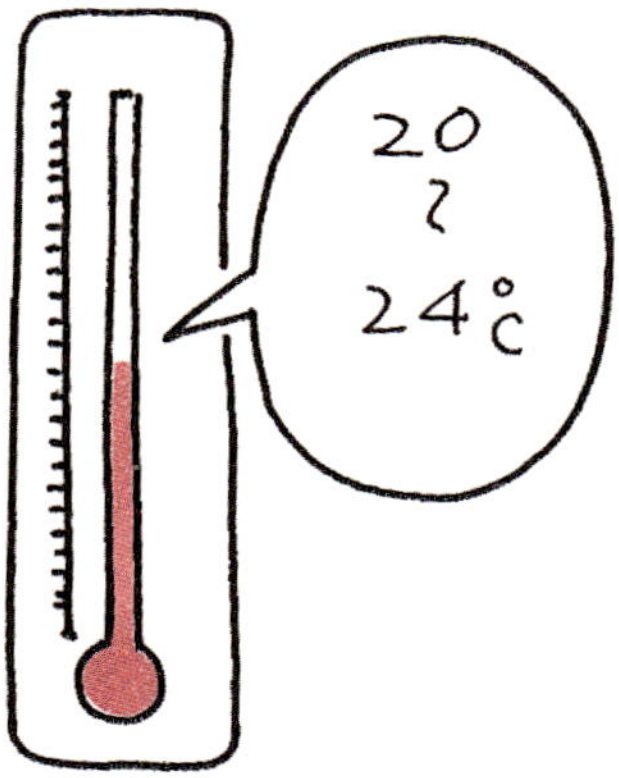

いつかはやってくる お別《わか》れの日《ひ》のために

★いっしょにいられる時間《じかん》を大切《たいせつ》に

ハムスターが元気《げんき》な間《あいだ》は、毎日《まいにち》、精一杯《せいいっぱい》お世話《せわ》をして、１日《にち》30分《ぷん》くらいは散歩《さんぽ》を楽《たの》しませましょう。細《こま》かいしぐさや行動《こうどう》のなかに愛《あい》らしい発見《はっけん》がたくさんあるはずです。手《て》のりハムスターになれば、いっしょにたくさん遊《あそ》べます。

★寿命《じゅみょう》は2～3年半《ねんはん》

ハムスターはどんなに健康《けんこう》に暮《く》らしても、2年《ねん》～3年半《ねんはん》で寿命《じゅみょう》がきます。とくに長生《ながい》きをするハムスターでも、5年《ねん》くらい。短《みじか》いようですが、ハムスターは人間《にんげん》の何倍《なんばい》ものスピードで生《い》きているのです。

★感謝《かんしゃ》してお別《わか》れしよう

ハムスターとのお別《わか》れはつらいものです。しかし、たくさんの愛情《あいじょう》をかけて精一杯《せいいっぱい》お世話《せわ》をしたのなら、ハムスターのくれた幸《しあわ》せな時間《じかん》に感謝《かんしゃ》して見送《みおく》ってあげましょう。もう二度《にど》とハムスターは飼《か》わないなどといわず、幸《しあわ》せを待《ま》っているハムスターをまたいつか迎《むか》えにいってあげてください。

★見送《みおく》る方法《ほうほう》を考《かんが》えておこう

自分《じぶん》の家《いえ》に庭《にわ》があればお墓《はか》をつくって埋《う》めてあげるのが一番《いちばん》いいでしょう。最近《さいきん》はペットの葬儀屋《そうぎや》さんもふえているので、依託《いたく》してペット霊園《れいえん》にお墓《はか》をつくることもできます。区《く》や市《し》などでも遺体《いたい》をひきとって火《か》葬《そう》もしてくれます。いざというときのために、きちんと調《しら》べておくといいでしょう。

PART 8

ハムスターの妊《にん》娠《しん》&出《しゅっ》産《さん》

HAMSTER

たくさんふえてもダイジョーブ？

とてもかわいいハムスターの赤《あか》ちゃん。「赤《あか》ちゃんを産《う》ませたいな」と思《おも》ったら、まずは計画《けいかく》を立《た》てましょう。一度《いちど》にたくさん生《う》まれるので、準備《じゅんび》も必要《ひつよう》です。

一度《いちど》にたくさんの赤《あか》ちゃんが誕生《たんじょう》！

〝ねずみ算式《さんしき》〟という言葉《ことば》のとおり、ねずみの仲間《なかま》であるハムスターもたくさんの赤《あか》ちゃんを産《う》みます。一度《いちど》の出産《しゅっさん》で生《う》まれる数《かず》は、ゴールデンハムスターが平均《へいきん》8～9匹《ひき》、ドワーフハムスターが6～7匹《ひき》といわれます。多《おお》いときには10数匹《すうひき》生《う》まれることもあります。

赤《あか》ちゃんはとてもかわいいのですが、これだけのハムスターの面倒《めんどう》を見《み》ることができるのか、またハムスターをひきとってくれる里親《さとおや》をさがすことができるのかを考《かんが》えてから、繁殖《はんしょく》させましょう。

飼《か》い主《ぬし》をさがす

ハムスターの赤《あか》ちゃんを育《そだ》ててみたいと思《おも》っても、生《う》まれた赤《あか》ちゃん全部《ぜんぶ》のお世話《せわ》をするのは簡単《かんたん》なことではありません。

まず、繁殖《はんしょく》をさせる前《まえ》に里親《さとおや》になってくれる飼《か》い主《ぬし》をさがしておくべきでしょう。飼《か》い主《ぬし》になってくれる人《ひと》は、前《まえ》にもハムスターを飼《か》ったことがある人《ひと》か現在飼《げんざいか》っている人《ひと》が理《り》想的《そうてき》です。もし動物《どうぶつ》を飼《か》ったことのない人《ひと》の場合《ばあい》なら、毎日《まいにち》のお世話《せわ》のことや、病気《びょうき》のときの病院代《びょういんだい》など、ハムスターを飼《か》うにあたっての心《こころ》がまえを話《はな》しておきましょう。そのうえで、ハムスターをきちんとかわいがってくれる人《ひと》にゆずるようにしてください。

自分《じぶん》で飼《か》うときはケースを準備《じゅんび》

もし、生《う》まれた赤《あか》ちゃんを全部飼《ぜんぶか》おうと思《おも》っているのならば、まず2つのケースを用意《ようい》しておきましょう。

ハムスターは生後約《せいごやく》3週間《しゅうかん》で親《おや》と同《おな》じえさを食《た》べるようになり、生後《せいご》1カ月半《げつはん》で妊娠可能《にんしんかのう》になります。一《ひと》つのケージにオスとメスが暮《く》らしていると、近親交配《きんしんこうはい》といって兄妹同士《きょうだいどうし》で子《こ》どもをつくってしまいます。いろいろな障害《しょうがい》が起《お》こる場合《ばあい》があるので、近親交配《きんしんこうはい》はさけてください。生後《せいご》1カ月《げつ》までには、オスとメスの区別《くべつ》をつけてケースをわけるようにしましょう。

種類《しゅるい》によって異《こと》なりますが、複数《ふくすう》飼《が》いができない場合《ばあい》は、早《はや》めにケージを用意《ようい》して、1匹《ぴき》ずつを別々《べつべつ》のケージにわけるようにします。

生後《せいご》1カ月《げつ》までには、オスとメスを別々《べつべつ》のケージに移《うつ》そう。もしも、相性《あいしょう》が悪《わる》かったら、1匹《ぴき》ずつ別々《べつべつ》のケージで飼《か》おう。ゴールデンハムスターは、複数《ふくすう》で飼《か》うのは無理《むり》。いっしょにするのはデートのときだけにしよう。

お見《み》合《あ》いのための条件《じょうけん》

別々《べつべつ》のケージで飼《か》っているハムスターにはお見《み》合《あ》いが必要《ひつよう》です。相性《あいしょう》の合《あ》う健康《けんこう》なハムスター同士《どうし》を選《えら》んであげましょう。

理想《りそう》の相手《あいて》

種類《しゅるい》

ジャンガリアンとキャンベルは交配可能《こうはいかのう》といわれていますが、基本的《きほんてき》には同《おな》じ種類同士《しゅるいどうし》でお見《み》合《あ》いさせましょう。違《ちが》う種類《しゅるい》をかけ合《あ》わせることは、特別《とくべつ》な理由《りゆう》がないかぎり、種《しゅ》の保存《ほぞん》を危《あや》うくすることですから、注意《ちゅうい》しましょう。

年齢《ねんれい》

年《とし》をとったハムスターはお産《さん》で弱《よわ》ってしまったり、おっぱいが出《で》なかったりします。1歳《さい》くらいまでの若《わか》いハムスターがいいでしょう。

性格《せいかく》

基本的《きほんてき》にメスのほうが気《き》が強《つよ》く、攻撃的《こうげきてき》です。オスとメスの力《ちから》の差《さ》が大《おお》きいと、オスが激《はげ》しく攻撃《こうげき》されてケガをしてしまうことがあります。気《き》の荒《あら》いメスと気《き》の弱《よわ》いオスのお見《み》合《あ》いはしないようにしましょう。

健康《けんこう》

お産《さん》にはとても体力《たいりょく》が必要《ひつよう》です。栄養状態《えいようじょうたい》のいい健康《けんこう》なメスを選《えら》びましょう。病気《びょうき》のときや、肥満《ひまん》のハムスターもさけます。

血《ち》のつながり

ハムスターの繁殖《はんしょく》に近親交配《きんしんこうはい》があります。兄妹《きょうだい》や親子《おやこ》で子《こ》どもをつくることで、障害《しょうがい》をもった子《こ》どもが生《う》まれる割合《わりあい》が高《たか》くなるので危険《きけん》です。違《ちが》う家《いえ》からお見《み》合《あ》い相手《あいて》を連《つ》れてくるほうがいいでしょう。

ある日《ひ》のハムたん

1
プン
プン
近《ちか》くにこないでよ！
…
お見合《みあ》い相手《あいて》がやってきた。おこられた。
2
さわんないでよ！
…！
ヨロ…
またお見合《みあ》い相手《あいて》がやってきた。なぐられた。
3
っていうかあ、全然好《ぜんぜんこの》みじゃないし～
…!!
がびーん
選ぶケンリは女にあるのよ
またまたお見合《みあ》い相手《あいて》がやってきた。
4
ハムたん 今《いま》んとこ全敗《ぜんぱい》だね。もう男《おとこ》のプライド、まるつぶれだね
ほっといてくれ～
シャク
シャク

春
秋
12～14時間
20～22℃

ベストシーズンズ

ハムスターが子《こ》づくりできる状態《じょうたい》になるには、気温《きおん》が20～22℃、日照時間《にっしょうじかん》が12～14時間《じかん》あるなどの条件《じょうけん》があります。人間《にんげん》と暮《く》らしているハムスターはこの条件《じょうけん》がそろっているので、1年中繁殖《ねんじゅうはんしょく》することができます。しかし、真夏《まなつ》や冬《ふゆ》など、ハムスターの体力《たいりょく》が落《お》ちている季節《きせつ》の繁殖《はんしょく》はおすすめできません。春《はる》や秋《あき》の、ハムスターのからだの調子《ちょうし》がいい季節《きせつ》が最適《さいてき》です。

お見《み》合《あ》いからデートへ

いきなりのデートは危険《きけん》。オスがメスにいじめられてしまいます。はじめはケージ越《ご》しの顔合《かおあ》わせから。メスがその気《き》になるまでチャンスを待《ま》ちましょう。

お見《み》合《あ》いはケージ越《ご》しに

ハムスターはいきなり仲間《なかま》に会《あ》うととてもびっくりしてしまいます。敵《てき》と勘違《かんちが》いして、大《おお》きななき声《ごえ》を出《だ》してとっ組《く》み合《あ》いのケンカをはじめます。

とくにオスとメスの場合《ばあい》はメスのほうが気《き》が強《つよ》く、オスがいじめられてしまう場合《ばあい》が多《おお》いものです。

2匹《ひき》を直接会《ちょくせつあ》わせる前《まえ》に、まずはケージを隣同士《となりどうし》にして、ケージ越《ご》しにお見《み》合《あ》いをさせましょう。

メスは4日《か》に1度《ど》、12〜20時間《じかん》だけ発情《はつじょう》します。メスの生殖器《せいしょくき》から糸《いと》をひくような半透明《はんとうめい》の粘液《ねんえき》が出《で》たら、発情《はつじょう》の合図《あいず》です。

発情期《はつじょうき》のメスは、オスに対《たい》する攻《こう》撃性《げきせい》が弱《よわ》まります。

オスのケージでデート

ハムスターはメスのほうが気《き》が強《つよ》いので、デートをさせるときはメスのなわばりはさけましょう。メスが発情《はつじょう》したら、オスのケージにメスを移動《いどう》させます。時間《じかん》は夕方《ゆうがた》ごろがいいようです。

最初《さいしょ》オスがメスを追《お》いかけ回《まわ》します。メスは嫌《いや》がってかみついたりしますが、少《すこ》しすると仲《なか》よくなることもあるので、しばらく様《よう》子《す》を見《み》まもりましょう。

ケンカを止《と》める

オスのケージにメスを入《い》れると、しばらくすると仲《なか》よくなることが多《おお》いのですが、まれに本当《ほんとう》のケンカになってしまうことがあります。こういうときはお互《たが》いがケガをしてしまうので、2匹《ひき》をひきはなしましょう。

ひきはなすときも、いつもと違《ちが》う注意《ちゅうい》が必要《ひつよう》です。ケンカをしているハムスターはとても興奮《こうふん》しているので、うっかり手《て》を入《い》れるとひどくかまれます。厚手《あつで》の手袋《てぶくろ》をつけるか、雑誌《ざっし》や本《ほん》などで2匹《ひき》をひきはなしましょう。

ふたたびデート

ケンカをしてしまったハムスターは一度《いちど》ひきはなして、次《つぎ》にメスが発《はっ》情《じょう》するまで、ケージを隣同士《となりどうし》にして置《お》いておきましょう。しばらくすると相手《あいて》のにおいになれてくるかもしれません。メスが発情《はつじょう》したら、ふたたびメスをオスのケージに入《い》れて様《よう》子《す》を見《み》ます。もしも、また激《はげ》しくケンカをしてしまうようなら、すぐにひきはなします。4日《か》に1度《ど》、メスが発情《はつじょう》するタイミングをねらって、何《なん》度《ど》もチャレンジしてみましょう。

出会《であ》いから妊娠《にんしん》まで

❶ メスは、発情《はつじょう》すると生殖器《せいしょくき》から糸《いと》をひくような半透明《はんとうめい》な粘液《ねんえき》を出《だ》すようになる。これが発情《はつじょう》の合図《あいず》。発情《はつじょう》するとお互《たが》いに超音波《ちょうおんぱ》を出《だ》し合《あ》う。

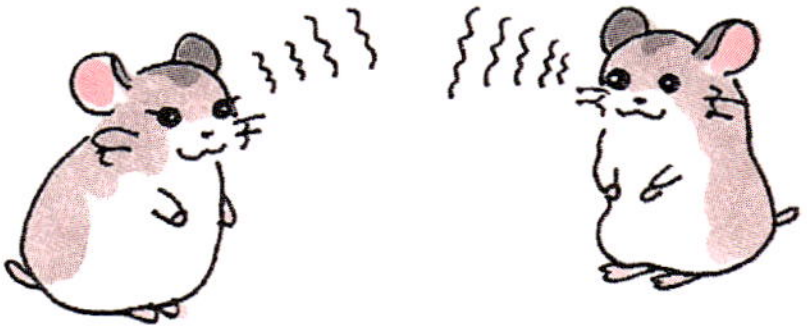

いっしょになると…

❷ オスはメスのからだのにおいをおそるおそるかいで、背中《せなか》や耳《みみ》にさわる。自分《じぶん》の臭腺《しゅうせん》のにおいをあちこちにつける。

❸ メスは声《こえ》を出《だ》しておこったり、オスをひっかいたりして、嫌《いや》がる様子《ようす》を見《み》せる。

2匹《ひき》が結《むす》ばれるには

メスをオスのケージに入《い》れると、オスはメスをおそるおそる追《お》いかけ回《まわ》し、においをかぎます。メスの耳《みみ》や背中《せなか》にさわったりもします。オスの動《うご》きはだんだんと早《はや》くなって、自《じ》分《ぶん》の臭腺《しゅうせん》のにおいをケージ内《ない》のものにつけて回《まわ》ります。

メスもだんだんとオスに興味《きょうみ》をしめすようになり、しばらくお互《たが》いににおいをかぎ合《あ》っています。やがて、交尾《こうび》をはじめます。交尾《こうび》は20分《ぶん》～1時間《じかん》の間《あいだ》、繰《く》り返《かえ》し行《おこな》われます。交尾《こうび》して20～24時間《じかん》たつと、メスには膣栓《ちっせん》ができ、膣《ちつ》をふさぎます。これが妊娠《にんしん》した証拠《しょうこ》になります。

もし、何度《なんど》デートをさせてもケン

❹ メスのほうからオスに近《ちか》づいて、においをかぐ。しばらくするとおしりを上《あ》げて止《と》まるポーズを5〜10秒《びょう》とる。

❺ 20〜60分《ぷん》の間《あいだ》に繰《く》り返《かえ》し交《こう》尾《び》が行《おこな》われる。

❻ 交尾《こうび》が終《お》わると、メスはふたたび攻撃的《こうげきてき》になることがある。オスとメスを別々《べつべつ》のケージにわける。

❼ 妊娠《にんしん》して10日《か》くらいたつと、おなかが大《おお》きくなりはじめる。

カをしてしまう場合《ばあい》は、ほかのハムスターとのお見合《みあ》いを試《こころ》みましょう。

デートがすんだら

ゴールデンハムスターは、交尾《こうび》の期間《きかん》以外《いがい》はいっしょにいることはできません。ロボロフスキーやチャイニーズも交尾《こうび》以外《いがい》の時間《じかん》をオスとメスがいっしょに過《す》ごすことは難《むずか》しいものです。交尾《こうび》が終《お》わると、メスはふたたびオスに対《たい》して攻撃的《こうげきてき》になるので、すぐにはなしたほうがいいでしょう。ジャンガリアンに限《かぎ》っては、相性《あいしょう》によっては妊娠期間《にんしんきかん》もいっしょに同居《どうきょ》することができます。

ジャンガリアンはオスも子育《こそだ》てに参加《さんか》することがあり、そのほうが子《こ》どもがよく育《そだ》つといわれます。もちろん、ケンカをするようなら別《べつ》のケージにはなします。

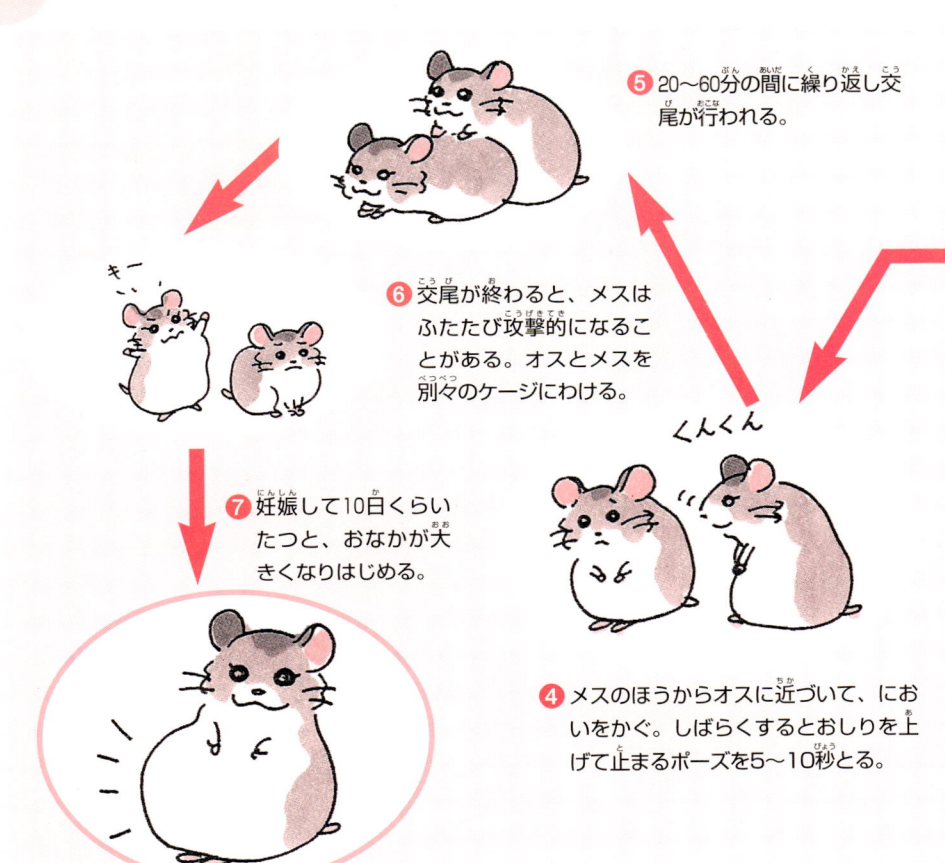

妊娠《にんしん》、出産《しゅっさん》のお世話《せわ》

お母《かあ》さんハムスターはとてもデリケートになっています。いつも以上《いじょう》に、静《しず》かで安全《あんぜん》な環境《かんきょう》を整《ととの》えてあげましょう。ストレスをためさせない工夫《くふう》が必要《ひつよう》です。

妊娠《にんしん》・出産後《しゅっさんご》のメスの食事《しょくじ》

妊娠期間《にんしんきかん》はゴールデンが16～18日《にち》、ドワーフが18～21日《にち》ほどあります。妊娠期間中《にんしんきかんちゅう》は万全《ばんぜん》の体調《たいちょう》で出産《しゅっさん》にのぞめるように、体力《たいりょく》をつける食事《しょくじ》を心《こころ》がけましょう。基本《きほん》は高《こう》たんぱくで低脂肪《ていしぼう》。ペレットを中心《ちゅうしん》に、ゆで卵《たまご》、肉《にく》、チーズ、煮干《にぼ》し、乾燥《かんそう》トウモロコシ、牛乳《ぎゅうにゅう》、そして緑黄色野菜《りょくおうしょくやさい》を与《あた》えます。ヒマワリの種《たね》などの種子類《しゅしるい》は脂肪分《しぼうぶん》が多《おお》いのでひかえましょう。新鮮《しんせん》な水《みず》も毎日用意《まいにちようい》します。

一方《いっぽう》、出産後《しゅっさんご》は、出産《しゅっさん》で使《つか》った体力《たいりょく》を回復《かいふく》するために食欲《しょくよく》が出《で》ます。動物性《どうぶつせい》タンパク質《しつ》を中心《ちゅうしん》にふだんの2倍《ばい》の食《た》べものを与《あた》えます。食《た》べものが少《すく》ないとストレスになって、子《こ》どもを食《た》べてしまうこともあります。

出産《しゅっさん》向《む》きのケージと巣箱《すばこ》

妊娠《にんしん》したハムスターはとても神経《しんけい》質《しつ》になっています。大《おお》きな音《おと》や人間《にんげん》の視線《しせん》などにもストレスを感《かん》じます。出産《しゅっさん》に向《む》けてケージを用意《ようい》してあげましょう。

ケージは基本的《きほんてき》に水槽《すいそう》タイプを使用《しよう》します。床材《ゆかざい》をたっぷりと入《い》れ、巣箱《すばこ》は赤《あか》ちゃんハムスターも入《はい》れるように、ふだん使《つか》っているものよりひと回《まわ》り大《おお》きなものを用意《ようい》します。ケージの外側《そとがわ》は段《だん》ボールや布《ぬの》などで囲《かこ》み、落《お》ち着《つ》く環境《かんきょう》をつくります。

人間《にんげん》がそうじのために手《て》を入《い》れることも嫌《いや》がるようになるので、食《た》べものや水《みず》のとりかえ以外《いがい》はケージに近《ちか》づかないようにします。

ケージはできるだけ静《しず》かなところに置《お》き、妊娠《にんしん》期間《きかん》中《ちゅう》は遊《あそ》びや散歩《さんぽ》などもがまんしましょう。

赤《あか》ちゃんハムスターが足《あし》をはさんだり、外《そと》に出《で》たりしないよう、水槽《すいそう》タイプのケージを使用《しよう》する。床材《ゆかざい》はたっぷり与《あた》える。

たいていは安産《あんざん》

ハムスターの出産《しゅっさん》は、夜中《よなか》から明《あ》け方《がた》の静《しず》かな時間《じかん》にはじまります。出産《しゅっさん》がはじまる何日《なんにち》か前《まえ》にティッシュペーパーなど、赤《あか》ちゃんを温《あたた》かく包《つつ》んであげられる床材《ゆかざい》を与《あた》えておきましょう。メスは出産前《しゅっさんまえ》に落《お》ち着《つ》きがなくなり、生殖器《せいしょくき》から出血《しゅっけつ》が見《み》られます。出産《しゅっさん》はたいてい安産《あんざん》です。

出産後《しゅっさんご》、しばらくは赤《あか》ちゃんを見《み》るのはがまんしましょう。お母《かあ》さんハムスターはとても神経質《しんけいしつ》になっていて、ケージをのぞいたりすると敵《てき》がきたと思《おも》い、赤《あか》ちゃんを食《た》べてしまうこともあるのです。

目《め》で確《たし》かめなくても、静《しず》かにして聞《き》いていると、ミーミーとなき声《ごえ》がして、動《うご》く音《おと》がします。

子育《こそだ》てとお世話《せわ》

ハムスターの赤《あか》ちゃんは、1カ月《げつ》もたたないうちに一人《いちにん》前《まえ》になります。成長《せいちょう》にあわせて食《た》べものをあげるなどして、どの子《こ》もりっぱに育《そだ》つようにお世話《せわ》をしましょう。

子《こ》育《そだ》てはメスにまかせる

出産後《しゅっさんご》のお母《かあ》さんハムスターは出《しゅっ》産前《さんまえ》よりも、もっと神経質《しんけいしつ》になっています。生《う》まれた赤《あか》ちゃんのために何《なに》かしてあげたくなりますが、わたしたちができることは何《なに》もなく、かえってお母《かあ》さんハムスターを刺激《しげき》することになります。少《すく》なくとも出産《しゅっさん》後《ご》1週間《しゅうかん》は、食《た》べものや水《みず》をとりかえる（それも静《しず》かに手早《てばや》く行《おこな》うこと）ほかは、のぞきこんだり、手《て》を出《だ》したりしてはいけません。

気《き》をつけたいのは母体《ぼたい》の健康管理《けんこうかんり》です。カルシウムやビタミンが不足《ふそく》すると下痢《げり》や脱毛《だつもう》などが起《お》こります。赤《あか》ちゃんハムスターのためにも、栄《えい》養《よう》バランスのとれた食《た》べものをふだんの2倍与《ばいあた》えるようにしましょう。

育児《いくじ》にそっぽを向《む》かないお母《かあ》さんにしたいなら‥

- 赤《あか》ちゃんを素手《すで》でさわらない。人間《にんげん》のにおいがついてしまうと自分《じぶん》の子《こ》どもではないと思《おも》ってしまう。
- ケージをしつこくのぞきこんだり、むやみに手《て》を入《い》れると、ケージ内《ない》が安全《あんぜん》ではないと感《かん》じ、神経質《しんけいしつ》になってしまう。
- 食《た》べものはふんだんな量《りょう》を、栄養《えいよう》バランスよく与《あた》えないと、ストレスがたまる。

ハムスターの妊娠《にんしん》&出産《しゅっさん》

	赤《あか》ちゃんの様子《ようす》	注意点《ちゅういてん》
生後《せいご》すぐ	生《う》まれたばかりのハムスターには毛《け》がなく赤裸《あかはだか》です。目《め》は見《み》えず耳《みみ》も聞《き》こえません。お母《かあ》さんのおっぱいを飲《の》んで、兄弟《きょうだい》たちと巣《す》のなかでかたまって眠《ねむ》っています。	のぞいたりせず、できるだけそっとしておきます。
1週《しゅう》目《め》	目《め》が開《ひら》き、耳《みみ》の形《かたち》もはっきりしてきます。からだに毛《け》が生《は》えてきて肌《はだ》が黒《くろ》ずんできます。よろよろと歩《ある》きはじめ、成長《せいちょう》の早《はや》い子《こ》はやわらかい食《た》べものを食《た》べるようになります。	ふやかしたペレットフードを入《い》れたお皿《さら》、赤《あか》ちゃんが飲《の》める高《たか》さに給水器《きゅうすいき》を用意《ようい》します。
2週《しゅう》目《め》	全身《ぜんしん》の毛《け》が生《は》えそろい、耳《みみ》も聞《き》こえるようになります。巣《す》の外《そと》でオシッコをするようになり、小《ちい》さい食《た》べものなら自分《じぶん》で食《た》べられるようになります。	外側《そとがわ》の段《だん》ボールや布《ぬの》は、とりのぞいてもいいでしょう。まだ赤《あか》ちゃんにはさわらないようにします。小《ちい》さく切《き》った野菜《やさい》を用意《ようい》します。
3週《しゅう》目《め》	ほとんどの子《こ》が離乳《りにゅう》し、ひとりで食事《しょくじ》ができるようになります。また、遊《あそ》ぶこともできるようになります。	子《こ》ども用《よう》に野菜《やさい》や種子類《しゅしるい》などを用《よう》意《い》します。軽《かる》いそうじを行《おこな》いましょう。
4週《しゅう》目《め》	完全《かんぜん》にひとりで食事《しょくじ》ができるようになったら、母親《ははおや》からはなして巣《す》わけをします。からだの大《おお》きさが同《おな》じくらいのもの同士《どうし》にいくつかのケージにわけます。小《ちい》さいハムスターは大《おお》きくなるのを待《ま》って、お母《かあ》さんからはなします。	チーズや卵《たまご》などの動物性《どうぶつせい》タンパク質《しつ》が多《おお》くならないよう、バランスのよい食事《しょくじ》を与《あた》えます。生後《せいご》1カ月《げつ》をすぎたら、繁殖《はんしょく》をふせぐために、オスとメスは別《べつ》のケージに分《わ》けましょう。

生後《せいご》2日目《かめ》

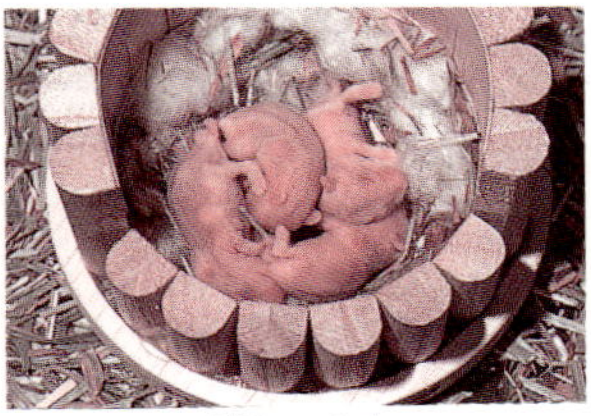

生後《せいご》10日目《かめ》

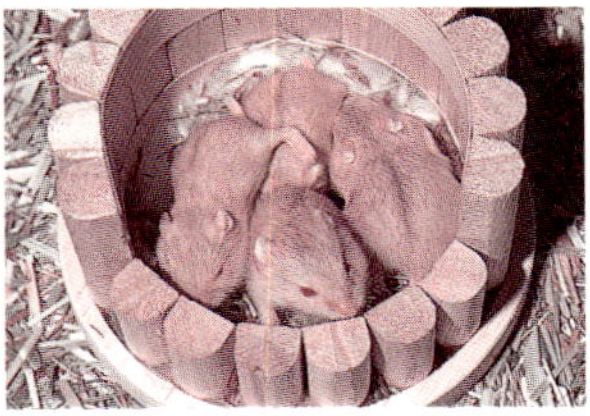

生後《せいご》24日目《かめ》

●監修者

藤原　明（ふじわら　あきら）

1973年、日本大学農獣医学部獣医学科卒業後、阪神パーク動物病院院長を経て、1980年、フジワラ動物病院（兵庫県宝塚市）開設。㈶鳥取県動物臨床医学研究所評議員、動物臨床医学会評議員としても活躍中。外来診療科を併設する動物園付属の病院に勤務し、多種類の動物を診療する機会を得る。ハムスター、ウサギ、フェレット、サル、飼鳥等のエキゾチックアニマルの診療確立がライフワークの一つ。日常診療においては「病気にさせない、つくらない」をモットーに、編集協力者と共に飼い主へ向けての予防獣医学等を基礎とする健康管理の啓蒙活動に多くの時間を割いている。

●編集協力

藤原元子（ふじわら　もとこ）

1977年、鳥取大学農学部獣医学科（外科学教室）卒業後、兵庫県の宝塚ファミリーランドに嘱託獣医師として勤務し、1981年よりフジワラ動物病院にて臨床に携り、現在に至る。幼い頃より昆虫学を含む生物学、生態学に強い興味を持ち、生命体の神秘に魅せられる。臨床においても日々の基本的な生活形態を重視し、動物に影響を及ぼす環境因子やストレスについて考えながら、ペットが一生をできるだけ健康に過ごせるよう飼い主の指導に力を入れている。

ハムスターと暮らそう！

監修者　藤原　明

発行者　高橋秀雄

印刷所　フクイン

発行所　**高橋書店**

〒112-0013
東京都文京区音羽1-26-1
電話 03-3943-4525（販売）/03-3943-4529（編集）
FAX 03-3943-6591（販売）/03-3943-5790（編集）
振替 00110-0-350650

ISBN978-4-471-08230-7